Cosmopolite 5

Méthode de français

C1-C2

Émilie Mathieu-Benoit

Anaïs Dorey-Mater

Nelly Briet-Peslin

Cahier d'activités

Perfectionnement

hachette

FRANÇAIS LANGUE ÉTRANGÈRE

Crédits photographiques et droits de reproduction

Photos de couverture :
Festival Mysteryland, Haarlemmermeer, Pays-Bas, © Getty Images ; Peintres au Cap, Afrique du Sud, © Getty Images.

Photos et visuels intérieurs :
p. 6 : affiche Mairie de Talence, *L'habitat participatif*, DR ; **p. 13** : infographie *L'agriculture biologique en France*, ministère de l'Agriculture et de l'Alimentation ; **p. 34** : recto du tract de l'Ugict-cgt, la cgt des cadres et des professions intermédiaires ; **p. 37** : haut, Arch. dép. Puy-de-Dôme, 8 BIB 1487 ; **p. 83** : page d'ouverture du *Guide ecofrugal* ; **p. 88** : © VIGUIER architecture urbanisme paysage / Eiffage ; **p. 136** : donnees.statistiques.developpement-durable.gouv.fr ; **p. 137** : haut, © Miss Lilou ; bas, © Ucciani. Autres : © Shutterstock.

Documents écrits :
p. 100 : © le point.fr, 20 août 2013 ; **p. 102** : © atabula.com, 12 octobre 2018 ; **p. 104** : © *Le Journal du dimanche*, 20 juillet 2019 ; **p. 106** : © *Lorsque j'étais une œuvre d'art*, Éric-Emmanuel Schmitt, Éditions Albin Michel, 2002 ; **p. 108** : © *Ouest-France*, 2 novembre 2016 ; **p. 110** : © *Bonjour paresse*, Corinne Maier, Éditions Michalon, 2004 ; **p. 112** : © liberation.fr, 24 décembre 2019 ; **p. 114** : © liberation.fr, 12 juin 2018 ; **p. 116** : © Laurent Alexandre/L'express/08-08-2018 ; **p. 118** : © lemonde.fr, 19 mai 2014 ; **p. 120** : © *Musée haut, musée bas*, Jean-Michel Ribes, Actes Sud, 2006 ; **p. 122** : © *L'humanité en péril*, Fred Vargas, Flammarion, 2019 ; **p. 126** : © lemonde.fr, 16 octobre 2019 ; **p. 128-129** : © liberation.fr, 29 décembre 2019 ; **p. 129** : © lemonde.fr, 1er juillet 2018 ; **p. 130-131** : © lemonde.fr, 26 novembre 2019 ; **p. 131** : © marianne.net, 3 décembre 2019 ; **p. 133** : © lemonde.fr, 26 novembre 2019 ; **p. 134** : © liberation.fr, 3 octobre 2018 ; **p. 135** : © lemonde.fr, 27 juin 2019.

Documents audio :
p. 124 : © « Urbanisme : la taille idéale d'une ville », *France Inter*, la Terre au carré, 10 mars 2020 ; **p. 125** : © « Donner plutôt que vendre ou jeter, en quelques clics », *France Inter*, Social Lab, 10 novembre 2019 ; © « Infobésité : comment s'informer », *France Culture*, 16 mars 2018 ; **p. 132** : © « 7 milliards de voisins : L'école hors les murs et dans la nature à la découverte du monde », *Radio France internationale*, 28 novembre 2019.

Nous avons fait tout notre possible pour obtenir les autorisations de reproduction des documents publiés dans cet ouvrage. Dans le cas où des omissions ou des erreurs se seraient glissées dans nos références, nous y remédierons dans les éditions à venir.

Couverture : Nicolas Piroux
Conception graphique : Anne-Danielle Naname
Adaptation et mise en page : Barbara Caudrelier
Suivi éditorial : Françoise Malvezin / Le Souffleur de mots
Illustrations : Gabriel Rebufello
Enregistrements audio, montage et mixage : Studio Quali'sons, David Hassici
Maîtrise d'œuvre : Françoise Malvezin / Le Souffleur de mots

ISBN : 978-2-01-513583-0

© HACHETTE LIVRE, 2020
58, rue Jean Bleuzen, 92178 Vanves
http://www.hachettefle.fr

SOMMAIRE

DOSSIER **1** Désir de ville(s)

Nous enrichissons notre vocabulaire

La ville : un lieu de vie

> Leçons **1** et **4**

1. Remplacez les mots et les expressions en gras par un synonyme de la liste pour apporter des précisions ou éviter la répétition. Faites les accords nécessaires.

citadin • propriétaire • banlieusard • rural • mégalopole • agglomération • locataire • métropole • résident

1. La coopérative d'habitants compte cinquante **habitants**. La moitié sont des **habitants qui ont acheté**, l'autre moitié sont des **habitants qui n'ont pas accédé à la propriété**.

   ....

   ....

2. Les **habitants des villes** aspirent à un retour de la nature dans l'espace de la ville sans pour autant manifester l'envie de s'installer en zone **de campagne**.

   ....

   ....

3. En 1975, on comptait seulement trois **villes avec leur banlieue** de plus de dix millions d'habitants. On en recense plus de trente aujourd'hui.

   ....

   ....

4. La majorité des **villes de plus de dix millions d'habitants** sont situées dans des pays en voie de développement.

   ....

   ....

5. D'ici à 2030, l'Afrique et l'Asie abriteront la majorité des **grandes villes** de la planète.

   ....

   ....

6. Le *Livre noir des transports en commun* parle des 950 000 **personnes qui habitent dans les communes autour de Paris** et qui, chaque jour, viennent travailler à Paris.

   ....

   ....

2. a. Entourez le mot correct.

1. Je suis en **localisation / location** pour l'instant mais j'aimerais beaucoup devenir propriétaire.

2. Il paraît évident que le milieu urbain a une **influence / affluence** sur le climat.

3. Louis et Armand **ont emménagé / ont aménagé** dans ce duplex l'année dernière.

4. Le maire se bat pour l'amélioration de **l'habitation / l'habitat** dans sa ville.

5. Une tablette graphique, des outils de dessin et une règle à échelle : voici **le matériel / le matériau** de base de l'architecte.

b. Utilisez les cinq mots non sélectionnés (2a) pour présenter votre lieu de vie.

   ....

   ....

   ....

   ....

   ....

3. a. Associez les mots aux définitions :

métropolitain • cosmopolite • une cité • un(e) villageois(e) • citadin • un(e) urbaniste • une villa • l'urbanisation

1. Dans l'Antiquité, communauté politique dont les membres (les citoyens) s'administraient eux-mêmes. Aujourd'hui, agglomération formant un ensemble homogène. → . . . .

2. Maison individuelle située en banlieue, en général plus luxueuse qu'un pavillon. → . . . .

3. Qui appartient à la métropole. → . . . .

4. Technicien(ne) chargé(e) de l'aménagement des villes et de la planification territoriale. → . . . .

5. Habitant(e) d'un village. → . . . .

6. Concentration de la population dans les villes. → . . . .

7. Qui subit les influences de plusieurs pays. → . . . .

8. Qui appartient à la ville. → . . . .

b. Complétez le tableau des mots liés à la ville selon leur origine.

Origine latine			Origine grecque
urbs : la ville	civis : le citoyen	villa : la résidence	polis : la cité
urbain(e),	le civisme,	la ville,	la police,
. . . .	. . . .	. . . .	. . . .
. . . .	. . . .	. . . .	. . . .
. . . .	. . . .	. . . .	. . . .
. . . .	. . . .	. . . .	. . . .

c. Ajoutez d'autres mots que vous connaissez.

⊃ La mobilité en ville

> Leçon **3**

4. Complétez l'article avec les mots de la liste. Faites les accords nécessaires.

zigzaguer • automobile • mobilité innovante • concentration • berceau • réseau • desservi • transport en commun • véhicule particulier • se déplacer • hybride • façonné • banlieue • infrastructure

Los Angeles, ... (1) de la nouvelle révolution des transports

Une ville . . . . (2) par et pour la voiture peut-elle se réinventer en misant sur la . . . . (3) ?

C'est le pari que tente en ce moment Los Angeles.

Sa croissance et son développement ont été alimentés par la possession de . . . . (4). La forme de cette vaste mégalopole, avec ses . . . . (5) d'autoroutes et ses étalements urbains sans fin, est un témoignage du triomphe de la . . . . (6) comme caractéristique distinctive de presque toutes les villes modernes. Lancés au cours du vingtième siècle, les centres commerciaux et les autoroutes – tous . . . . (7) par la voiture – ont eu pour conséquence un nombre d'. . . . . (8) supérieur à celui des habitants. Tout ceci va changer avec l'augmentation de la TVA locale qui permettra de récolter plus de 100 milliards de dollars dans le but d'adapter les . . . . (9) liées aux . . . . (10).

Aujourd'hui, c'est une ville où les vélos, les scooters et les skateboards électriques . . . . (11) dans les rues, et où l'on retrouve la plus haute . . . . (12) de voitures électriques et . . . . (13) au monde. Cette révolution transforme la façon dont les gens . . . . (14).

5. Observez l'affiche de la mairie de Talence.
Présentez les caractéristiques du projet et indiquez ses atouts principaux.

Caractéristiques principales : . . . .
. . . .
. . . .
. . . .

Principaux atouts : . . . .
. . . .
. . . .
. . . .
. . . .
. . . .
. . . .
. . . .

Lexique thématique du dossier 1

6. Lisez les rubriques du lexique. Complétez-les avec des mots et des expressions que vous connaissez.

La ville et ses habitants

une commune, une agglomération
une métropole, une mégalopole
un arrondissement
un citadin, un banlieusard
un quartier périphérique
un immeuble, un bâtiment, une tour, un gratte-ciel
une infrastructure (un stade, une médiathèque...)
la mixité sociale
la gentrification
un quartier populaire, dense, peuplé
une densité, une concentration

Le logement

un propriétaire, un copropriétaire, un locataire
un occupant, un résident
un bidonville, un taudis
un quartier sale, insalubre
un habitat citoyen / autogéré / participatif
une coopérative d'habitation
une collectivité d'habitants
un logement évolutif
un espace partagé
mutualiser les espaces

L'écologie urbaine

un espace vert
un toit / une terrasse végétalisé(e)
un espace cultivable
un immeuble autosuffisant en énergie
la récupération des eaux de pluie
un matériau durable

Les transports

la mobilité
la multimodalité
un mode de déplacement
un réseau de transports en commun
un VTC, une voiture avec chauffeur
une voiture personnelle / en libre-service
l'autopartage, le covoiturage
un usager, un abonné
se déplacer
stationner, le stationnement

Nous perfectionnons notre grammaire

L'accord du participe passé

7. Lisez le texte.

Petra et Hans se sont finalement connus au 6ᵉ étage d'un habitat partagé. C'est une sacrée série de hasards qu'il aura fallu à ces deux idéalistes pour se rencontrer ! L'association que Hans avait rejointe proposait des formations « vie collaborative » qu'il avait vécues comme des étapes de développement de citoyen. La femme de sa vie, qu'il n'avait jamais imaginé rencontrer là, était un rêve lointain. Un jour, Petra s'est
5 inscrite à une formation ; il l'a remarquée mais ils ne se sont pas parlé. Les échanges de regard se sont succédé mais voilà : ils étaient timides. Au cours des semaines qui ont suivi, des opportunités de revoir Hans, on peut dire que Petra n'en a pas raté une seule ! Elle s'est souvenue de tous ceux à qui il avait parlé et s'est efforcée de les retrouver, elle s'est rendue à tous les événements semblables… Finalement, deux mois plus tard, la porte de la salle de réunion du 6ᵉ étage de l'habitat partagé de la 21ᵉ rue s'est ouverte sur
10 Hans… Les deux mois d'attente qu'elle avait vécu s'achevaient enfin.

a. **Observez les formes verbales en vert et répondez aux questions.**

1 Pourquoi les participes passés suivants s'accordent-ils : *rejointe* (l. 2), *vécues* (l. 3), *remarquée* (l. 5) ?
Soulignez les groupes de mots qui impliquent leur accord et donnez leur fonction. . . . .
. . . .

2. Pourquoi les participes passés *suivi* (l. 6) et *parlé* (l. 7) ne s'accordent-ils pas ? . . . .

3. De quel verbe le groupe *la femme de sa vie* (l. 4) est-il le complément d'objet direct (COD) ? . . . .

4. Quel est le sujet du verbe *aura fallu* (l. 2) ? Que représente-t-il ? . . . .

5. Quel est le COD du verbe *a raté* (l. 7) ? . . . .

6. Le groupe *les deux mois d'attente* (l. 10) est-il un complément d'objet, de temps ou de lieu ? . . . .

> **Souvenez-vous**
>
> Avec l'auxiliaire *avoir*, le participe passé **ne s'accorde jamais avec le sujet**. Il s'accorde avec le complément d'objet direct (COD) quand celui-ci est placé **avant le verbe**.
> **Exceptions :**
> • Le COD *en* ne provoque jamais d'accord.
> • Le participe passé des verbes impersonnels est invariable.
> **Attention !** Certains verbes ont plusieurs sens (*vivre, coûter, peser*…). Ils acceptent parfois un COD, parfois un complément de temps, de manière, etc.

b. **Observez les formes verbales en bleu et répondez aux questions.**

1. Quel est le point commun de tous ces verbes ? . . . .

2. Quel verbe désigne une action que l'on pourrait compléter par la locution *lui-même* ou *elle-même* ? . . . .
Soulignez le mot qui exprime *lui-même* ou *elle-même* et indiquez sa fonction. . . . .

3. Quel verbe désigne une action que l'on pourrait compléter par la locution *l'un(e), l'autre* ? . . . .
Soulignez son COD.
Relevez les deux verbes qui désignent une action que l'on pourrait compléter par la locution *l'un à l'autre*. Ces deux verbes ont-ils un COD ? . . . .

4. Le sujet du verbe *s'est ouverte* fait-il l'action d'ouvrir ? . . . .

5. Quels sont les deux verbes en bleu qui n'existent que sous la forme pronominale ? . . . .

6. Reformulez *elle s'est rendue* avec un verbe synonyme. *Se rendre* est-il ici proche du sens de *rendre* ?

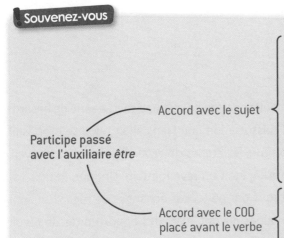

Participe passé avec l'auxiliaire *être*

Accord avec le sujet
- Verbes de mouvement, d'état.
  Ex. : *naître, aller, devenir.*
- Verbes pronominaux de sens passif (le sujet ne fait pas l'action).
  Ex. : *se vendre, se lire.*
- Verbes uniquement pronominaux (seulement avec *se*).
  Ex. : *s'écrier, s'élancer.*
- Verbes qui changent de sens à la forme pronominale.
  Ex. : *s'apercevoir = se rendre compte ≠ apercevoir = voir, distinguer.*

Accord avec le COD placé avant le verbe
- Verbes pronominaux réfléchis (*soi-même*).
  Ex. : *se préparer, se laver.*
- Verbes pronominaux réciproques (*l'un, l'autre*).
  Ex. : *se rencontrer, s'aimer.*

Attention ! *Se* représente souvent un COD mais parfois un COI. Dans ce dernier cas, il n'y a pas d'accord.
Ex. : *se parler, se succéder, se plaire.*

8. **Accordez les participes passés quand c'est nécessaire. Soulignez le mot ou le groupe de mots qui provoque l'accord.**

1. Dans la chasse au trésor qu'avait organisé. . . . . la municipalité, ils s'étaient aidé. . . . . et attendu. . . . . à chaque étape, et lorsque la deuxième place leur a été conjointement attribué. . . . . , ils se sont félicité. . . . . de leur stratégie.

2. Élus et habitants se sont parlé. . . . . et l'unanimité s'est finalement créé. . . . . autour du projet de création d'une station multimodale. Les représentants des abonnés au TER se sont fait. . . . . expliquer les trajets à venir après le déplacement de la gare.

3. Combien d'années a-t-il fallu. . . . . attendre avant que le logement social devienne la priorité ? Des associations s'étaient donné. . . . . comme objectif d'aider les pauvres mais c'est l'Abbé Pierre et ses compagnons qui se sont penché. . . . . les premiers sur le cas des sans-abri.

4. Longtemps, les HLM des périphéries urbaines se sont ressemblé. . . . . : de grands bâtiments fades. Des modifications se sont ensuite vu. . . . . avec des logements sociaux intégrés à la ville, puis les autorités se sont aperçu. . . . . que la mixité des bâtiments devait prévaloir.

5. Quelle part de réalisme y a-t-il eu. . . . . dans la conception des villes idéales de la Renaissance ? Selon les intellectuels d'alors, les modèles que les philosophes antiques avaient voulu. . . . . créer étaient favorables à l'économie, c'est l'intuition qu'ils en avaient eu. . . . . .

6. Pour le pavillon français de l'Exposition universelle de Milan, les architectes se sont dit. . . . que les préconisations *made in France* dont les pouvoirs publics s'étaient récemment emparé. . . . seraient porteurs. Ils se sont donc procuré. . . . du bois issu de plantations du Jura.

Les types et les formes de phrase

9. a. 🎧 H2 **Écoutez et cochez le type de phrase entendu.**

Type de phrase	Ex.	1	2	3	4	5
Déclarative	✔					
Injonctive						
Interrogative						

b. 🎧▶2 **Réécoutez et soulignez la / les forme(s) correcte(s) pour chaque phrase.**

Exemple : Avant les travaux, il n'y avait absolument aucune vue sur la vieille ville ?

Affirmative – <u>négative</u> – personnelle – <u>impersonnelle</u> – exclamative – <u>emphatique</u>

1. Affirmative – négative – active – passive – personnelle – impersonnelle

2. Active – passive – personnelle – impersonnelle – exclamative – emphatique

3. Active – passive – personnelle – impersonnelle – exclamative – emphatique

4. Affirmative – négative – active – passive – personnelle – impersonnelle

5. Affirmative – négative – active – passive – personnelle – impersonnelle

10. **Réécrivez les phrases selon le type et la forme indiqués en conservant le sens.**

Exemple : Les nouvelles constructions passives sont trop rares. (emphatique / interrogative / impersonnelle)
→ Y a-t-il vraiment trop peu de nouvelles constructions passives ?

1. La mairie avait prévu un développement plus important. (interrogative / négative)

→ ....

2. La régie de transports en commun de la ville vend les tickets à l'unité ou par dix. (déclarative / passive / emphatique)

→ ....

3. Une enquête de satisfaction n'a-t-elle pas été organisée par la municipalité ? (déclarative / active)

→ ....

4. Vous faciliterez le passage des fauteuils roulants en n'attachant pas votre vélo ici. (injonctive / exclamative)

→ ....

⟩ L'emploi des temps du passé et les marqueurs temporels

11. **Entourez la forme correcte.**

1. Il fit l'acquisition d'une maison qui **devint / devenait** une étude d'architecte.

2. Elles décidèrent d'acheter un bureau dès qu'elles **eurent** remporté / **avaient** remporté un marché.

3. Nous pouvons dès à présent emménager ; l'agence **m'a donné / me donna** les clés !

4. Il était 7 heures ce matin-là, je **me levais / me levai** pour accueillir le maçon.

5. La ville avait été reconstruite par ceux qui **échappaient / avaient échappé** à l'éruption.

6. Depuis l'effondrement, il prétend que le sous-sol **a toujours été / est toujours** stable.

12. **Complétez les phrases avec une expression de temps de la liste :**

quand (x 2) • au moment où • tous les jours à midi • longtemps • ensuite • après que • puis • à peine • déjà

1. .... le train arriva en ville pour la première fois, la gare venait .... d'être achevée.

2. ...., ... sa femme était absente, il tirait un coup de canon pour qu'elle revienne déjeuner !

3. .... ils eurent .... hésité, ... qu'ils se furent entendus sur des modalités, c'est une entreprise locale qui fut choisie.

4. .... la première vague de travaux était lancée, cinq membres du Conseil municipal étaient .... suspectés de malversations et furent .... interrogés.

13. **Complétez la phrase. Utilisez deux verbes conjugués au passé et variez les temps verbaux.**

Lorsqu'elle eut achevé son inscription sur le site de covoiturage, ...

....

Nous améliorons notre style

⟩ Raconter au passé et assurer la cohérence dans le discours

14. **a.** **Lisez le texte et identifiez le temps des verbes.**

Après qu'il **eut payé** (1) au taxi la course qui l'**avait mené** (2) aux confins de la ville nouvelle, il **s'arrêta** (3) au pied

       passé antérieur   . . . .

du dernier immeuble achevé. Je **suis né** (4) ici, **se dit**-il (5), et j'**ai grandi** (6) dans cette campagne et aujourd'hui, c'est

       . . . .

un quartier vertical qui **a recouvert** (7) les espaces où l'on **voyait** (8) autrefois loin, à perte de vue… Il **marcha** (9)

    . . . .

à la recherche d'un banc : rien. Le mobilier urbain **avait disparu** (10), tous les parcs **étaient** (11) désormais en

         . . . .

hauteur. Une fois que la construction du quartier **serait terminée** (12), les rues **seraient** (13) pleines de véhicules :

         . . . .

à présent, plus personne n'**aimait** (14) flâner en bas des immeubles, les toits d'immeubles **s'étaient substitués** (15)

      . . . .

aux terrasses des trottoirs.

b. **Associez les temps identifiés dans l'activité 14a à leur valeur dans le texte.**

Passé antérieur •   • Fait passé et achevé dans le témoignage du personnage ou fait passé du
Passé simple •   témoignage dont le résultat présent est important
Passé composé •   • Description du passé achevé ou de la situation contemporaine à la narration
Plus-que-parfait •   • Fait principal accompli avant un autre fait principal dans la narration
Imparfait •   • Fait à venir dans la narration
Conditionnel présent •   • Fait à venir avant un autre fait futur
Conditionnel passé •   • Fait passé et achevé dans la narration
                                        • Fait secondaire accompli avant le moment de la narration

Souvenez-vous

Le **passé simple** est un temps de **l'écrit littéraire ou historique** ou de l'écrit oralisé (exposé, conférence). Le passé composé le remplace à l'oral.

15. **Entourez les formes verbales correctes.**

Au xixe siècle, après que le congrès de Vienne **eut statué / statua** (1) sur la paix en Europe, les peuples **détruisaient / détruisirent** (2) progressivement les fortifications autour de leurs villes. On **souhaitait / souhaiterait** (3) une ville ouverte, comme à Nice où les fortifications **eurent disparu / avaient disparu** (4) depuis un siècle lorsque la population des nouveaux quartiers **dépassait / dépassa** (5) celle de la ville historique. En outre, la construction du port **ne débutait / ne débuta** (6) qu'après l'ouverture : la ville **serait / aurait été** (7) à l'avenir une destination touristique, on **avait enfin réalisé / eut enfin réalisé** (8) que la beauté du lieu **égalait / égalerait** (9) sa valeur stratégique ! Bref, on **le comprit / l'a compris** (10) : la ville ouverte **n'exista pas toujours / n'a pas toujours existé** (11) telle qu'aujourd'hui.

16. **Présentez l'évolution d'un quartier ou d'une ville où vous avez habité.**

   a. **Préparez les étapes de votre narration à l'aide des valeurs verbales vues dans l'activité 14b. Utilisez tous les temps identifiés.**

   b. **Rédigez votre présentation.**

DOSSIER **2** Alimentation, « Un plaisir à ras de terre » ?

Nous enrichissons notre vocabulaire

> ### Les goûts alimentaires

> Leçon **1**

1. a. Classez les verbes de la liste dans la bonne catégorie.

~~bouffer~~ • se délecter • se nourrir • s'alimenter • ingérer • s'empiffrer • picorer • dévorer • se goinfrer • grignoter • manger sur le pouce • avaler • engloutir • se faire péter le bide • festoyer • se régaler • se sustenter

1. Manger : *bouffer*, ...

2. Manger peu : ....

3. Manger rapidement : ....

4. Manger sans modération : ....

5. Manger avec plaisir : ....

6. Faire entrer un aliment dans le corps : ....

b. Classez les verbes selon le registre de langue.

Registre familier	Registre courant	Registre soutenu
bouffer, ...	....	....
....	....	....
....	....	....
....	....	....

2. Écrivez des phrases avec les éléments proposés.

1. chez l'ambassadeur / se délecter

....

2. intoxication alimentaire / avaler

....

3. une alimentation équilibrée / grignoter

....

4. avoir une faim de loup / engloutir

....

3. a. Indiquez pour chaque définition une saveur de la liste.

le piquant • l'amertume • ~~le sucré~~ • l'acidité • le salé • l'aigre-doux

1. Seule cette saveur est innée. Elle est reconnue et appréciée par le nourrisson puisqu'elle est synonyme d'énergie. Elle apparaît plus intensément à chaud. → *le sucré*

2. Cette saveur est apportée par un exhausteur de goût, c'est-à-dire un élément qui fait ressortir le goût des aliments.
→ ....

3. Cette saveur provoque un réflexe spontané qui fait grimacer, sans que l'aliment ait un mauvais goût. Elle est d'autant plus ressentie que l'aliment est froid. → ....

4. Cette saveur est généralement peu appréciée car son goût âpre procure une sensation assez désagréable et persistante.
→ ....

5. Cette saveur mêle les goûts acides et sucrés. Les cuisines asiatiques en font un usage courant ainsi que les cuisines slaves et d'Europe du Nord. → ....

6. Cette saveur est directement liée au toucher. Elle provoque une sensation de brûlure et d'irritation dans la bouche.
→ ....

b. Complétez le tableau avec l'adjectif correspondant aux saveurs puis classez les aliments, plats ou boissons suivants. Attention, certains appartiennent à plusieurs catégories.

a. le gingembre

b. la soupe de légumes

c. le piment

d. la datte

e. le thé vert très infusé

f. la rhubarbe

g. l'endive crue

h. le yaourt nature

i. la groseille

j. la raclette

k. la charcuterie

l. le cornichon de hamburger

m. le poivre

n. le chocolat noir 100 % cacao

Saveur	Adjectif	Aliments, plats ou boissons
1. *le sucré*	*sucré(e)*	
2.		
3.		
4.		
5.		
6.		

4. Présentez le plat traditionnel de votre pays que vous préférez. Précisez les saveurs associées et expliquez votre choix.

....

....

....

....

Agriculture et données chiffrées

> Leçons **2** et **3**

5. Complétez la présentation de l'agriculture française avec les mots de la liste. Faites les accords nécessaires.

agroalimentaire • hectare • hausse • collecte • excédent commercial • production • compensé • ~~puissance~~ • récolte • rendement • baisse • exploitation • surface cultivée • revenu moyen • exploitant

Agro-economie.fr

En 2018, la France est toujours la première *puissance* agricole européenne devant l'Allemagne et l'Italie. Tous secteurs confondus, sa .... (1) est estimée à 73 milliards d'euros. La .... (2) est également la plus vaste d'Europe avec près de 30 millions d'...................... (3). Par ailleurs, la contribution de la branche agricole au produit intérieur brut (PIB) devrait être en .... (4) cette année. En 2018, les exportations de produits agricoles et .... (5) ont représenté 6,6 milliards d'euros d'...................... (6), notamment du fait de bonnes .... (7). À noter : la sécheresse a pesé sur le .... (8) des céréales mais aussi des fruits et des légumes. Ce problème climatique a également fortement impacté la .... (9) de lait. Enfin, le nombre d'...................... (10) agricoles continue à diminuer inexorablement. Cette .... (11) s'explique entre autres par l'extension de la taille moyenne des .... (12). Leur moyenne d'âge ne cesse par ailleurs d'augmenter puisque 50 % d'entre eux ont aujourd'hui plus de 50 ans ; les départs à la retraite ne sont de toute évidence pas .... (13) par l'arrivée de jeunes agriculteurs. Ceci s'explique par des inquiétudes économiques quant à l'avenir de l'agriculture française mais aussi et surtout par des .... (14) médiocres.

6. Observez l'infographie d'une étude. Présentez les faits marquants et les variations observées.

MINISTÈRE DE L'AGRICULTURE ET DE L'ALIMENTATION

L'AGRICULTURE BIOLOGIQUE

41 600 EXPLOITATIONS ENGAGÉES EN BIO +13% >2017

155 347 EMPLOIS DIRECTS +14% >2017

2 millions D'HECTARES SOIT LA 3ᵉ SURFACE DE L'UE +17% >2017

7,5% DE LA SURFACE AGRICOLE UTILE FRANÇAISE

LA CONSOMMATION DE PRODUITS BIO PÈSE

9,7 MILLIARDS D'EUROS

RÉPARTITION DES FERMES BIO EN %

8 cultures fruitières
6 porcins, volailles...
16 polyculture, polyélevage
9 ovins, caprins
20 bovins
15 grandes cultures
18 viticulture
8 maraîchage & horticulture

LA BIO REPRÉSENTE : (2018)

40,2% DES SURFACES DE PRODUCTION DE LÉGUMES SECS

23,3% DES SURFACES DE PRODUCTION DE FRUITS

21,1% DES SURFACES DE PLANTES À PARFUM, AROMATIQUES & MÉDICINALES

12% DES SURFACES DE VIGNES

69% DES PRODUITS BIO CONSOMMÉS PROVENANT DE FRANCE

LAIT ET PRODUITS LAITIERS **97,8%**
ŒUFS, VIANDES, VINS & ALCOOLS **99%**
DE CES ALIMENTS BIO CONSOMMÉS EN FRANCE SONT

LE MARCHÉ DU BIO EN EUROPE
1er ALLEMAGNE 10,3 milliards d'€
2e FRANCE 8,3 milliards d'€
3e ITALIE 3,6 milliards d'€
PRODUITS BIO EN RESTAURATION COLLECTIVE +27% >2017

1. Les faits marquants : L'enquête réalisée par l'Agence Bio en juin 2019 ....

....

....

....

....

....

....

2. Les variations observées : Selon l'étude, ...

....

....

....

....

....

....

....

Lexique thématique du dossier 2

7. Lisez les rubriques du lexique. Complétez-les avec des mots et des expressions que vous connaissez.

L'alimentation

Les goûts / les saveurs
fade (la fadeur), sucrée(e) (le sucré), salé(e)
(le salé), acide (l'acidité), amer(ère) (l'amertume)

La composition
les vitamines, les sels minéraux, les fibres
les produits chimiques : un conservateur, un additif
calculer le nutri-score

L'alimentation saine
manger local, authentique, bio
la qualité nutritionnelle

La malbouffe
les aliments gras, à forte teneur en sucre et en sel,
très caloriques, pauvres nutritionnellement,
contenant peu de minéraux / de vitamines / de fibres
végétales

La nourriture de réconfort
les sucreries / les friandises : un fruit confit, une
pâte de fruits, un bonbon acidulé, une praline
calmer / compenser la tristesse, la solitude,
l'épuisement, la colère, l'ennui, le stress, le manque
d'estime de soi et de confiance en soi

L'agriculture

Produire
produire, la production, un(e) producteur (trice)
élever, un(e) éleveur (euse), l'élevage
la culture, cultiver, un(e) cultivateur (trice)

Commercialiser
la grande distribution
un supermarché paysan, un maraîcher
(s')approvisionner (un approvisionnement)
être en rupture de stock
fixer le prix de vente
un slogan, un logo, un label, une mention
une appellation (AOP, AOC, IGP)

Présenter une étude et ses résultats

publier / réaliser une étude sur
analyser, mettre en lumière, souligner
ne pas manquer de préciser, dévoiler, révéler
varier de ... à ..., deux fois plus
être multiplié(e) par deux, diviser par deux
diminuer, baisser, augmenter
être influencé(e) par différents facteurs

Nous perfectionnons notre grammaire

⟩ *de* devant un nom

8. Lisez l'article.

bien.manger.fr

La pomme **de terre** (1) contient environ 80 % **d'eau** (2), 18 % **de glucides** (3) (essentiellement **de l'amidon** (4) mais aussi **du sucre** (5) et **des fibres alimentaires** (6)), mais presque pas **de lipides** (7) et guère **de protéines** (8). Elle représente un bon apport en potassium, mais elle est très pauvre en calcium (seulement 11 mg **de ce sel minéral** (9) pour 100 g de pomme de terre), ce qui l'oppose aux légumes verts. Concernant la teneur en vitamine C, **de bons taux** (10) sont présents au moment **de la récolte** (11), mais disparaissent ensuite entre le stockage et la cuisson. Elle constitue donc presque uniquement un apport en glucides, c'est-à-dire une source **du carburant** (12) nécessaire à nos activités : elle fournit 80 calories pour 100 g. La pomme de terre cuite à l'eau et au four contient **de la vitamine B6** (13), 100 g apportent l'équivalent de 15 % **des valeurs nutritionnelles** (14) de référence. Enfin comment parler **de la pomme de terre** (15) sans parler **des pommes de terre** (16)? **De nombreuses variétés** (17) existent. Sur les étals, on en voit **de nouvelles** (18) apparaître régulièrement, ce qui fait d'elle un légume à toujours redécouvrir !

a. Relevez les formes en gras qui sont des compléments du nom.

1, ...

b. Indiquez les formes qui correspondent aux cas suivants :

1. dans un complément du nom, l'article partitif disparaît après *de : 1,* . . . .
2. dans le complément d'objet d'un verbe à la forme négative, l'article indéfini ou partitif disparaît après *de :* . . . .
   . . . .
3. dans un complément du nom ou du verbe, *de* suivi des articles définis *le* et *les* entraîne les formes contractées *du*
   et *des :* . . . .
4. *du, de la, de l', des* indiquent des quantités indéterminées : . . . .
5. *des* devient *de* devant un nom pluriel précédé d'un adjectif : . . . .

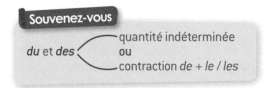

Souvenez-vous

du et *des* ⟨ quantité indéterminée
ou
contraction *de + le / les*

9. Lisez l'article. Entourez la forme correcte.

http://www.infodujour.fr

L'essor du véganisme

Le phénomène végan se manifeste désormais jusque dans les grands supermarchés puisqu'on y trouve *des* steaks de/du (1) soja à tous les parfums, de la/la (2) crème sans lait, du/le (3) fromage à la noix de cajou, les/des (4) saucisses à base de/des (5) protéines de/du (6) blé et de/des (7) pois, du/le (8) bacon de/des (9) légumes... Les habitudes de/des (10) Français seront-elles impactées par l'arrivée de/des (11) nouvelles pratiques venues d'/des (12) autres pays ? D'emblée, il faut le rappeler : la gastronomie française ne compte guère de/des (13) spécialités végétariennes... Au-delà du/de (14) régime alimentaire, le véganisme est aussi un mode de la/de (15) vie : il s'agit de ne pas consommer des/de (16) produits issus des/d' (17) animaux ou de leur exploitation. Dès lors, beaucoup d'/des (18) articles sont concernés, depuis les produits utilisant du/de (19) cuir, jusqu'à ceux contenant de/de la (20) cire d'abeille.

10. Complétez l'article avec *de, d', du, de l', de la, des*.

Tendance

Les influenceurs, nouveaux gourous .... (1) réseaux sociaux, cherchent à évincer l'un .... (2) piliers .... (3) système gastronomique ancien – le critique gastronomique – qui n'a plus guère .... (4) impact sur l'évolution culinaire. Ils menacent, à terme, l'existence .... (5) guides mais favorisent l'arrivée .... (6) téléphones portables et leur cortège .... (7) photographies... Ainsi, le culte .... (8) fadeur commence à se répandre au détriment .... (9) acidité et .... (10) amertume. Fréquemment, les fruits prennent la place .... (11) légumes et les fleurs celle .... (12) herbes aromatiques.

L'impératif : l'emploi des pronoms

11. 🎧▶3 Écoutez la recette de la tarte tatin et complétez le tableau.

	Formes affirmatives	Formes négatives
Formes sans pronom personnel complément	....	....
Formes avec un pronom personnel complément	*concentrons-nous*	....
Formes avec deux pronoms personnels compléments	*passe-les-moi* *mets-m'en*	*ne me les coupez surtout pas* ....

Souvenez-vous

• **À l'impératif affirmatif**, le(s) complément(s) du verbe est/sont **après** le verbe. Le verbe et le(s) complément(s) sont associé(s) par **un trait d'union**.
Me et *te* deviennent *moi* et *toi* à la forme affirmative.
Exception : avec *en*, on trouve les formes *-m'en* et *-t'en*. **Ex.** : *Mets-m'en la moitié !*

• À la deuxième personne du singulier, **tous les verbes en -*er*** et les verbes conjugués sur le même modèle (*ouvrir, offrir, cueillir*, etc.) perdent le *s* final.
Exception : devant *y* et *en*, on ajoute *s* pour faciliter la prononciation. **Ex.** : *Vas-y !*

• À l'impératif affirmatif, le complément d'objet direct (COD) est toujours **avant** le complément d'objet indirect (COI).
Exception : quelle que soit sa fonction, *en* est en position finale.

• À l'impératif négatif, le complément d'objet direct (COD) et le complément d'objet indirect (COI) suivent le **même ordre** que dans les autres modes verbaux.

12. Réécrivez les phrases à l'impératif. Remplacez les éléments soulignés par des pronoms.
Exemple : *Nous devons dès à présent annoncer <u>le palmarès des meilleurs scores nutritionnels</u> <u>au responsable qualité de notre atelier</u>. → Annonçons-le-lui dès à présent !*

1. Vous devriez procurer <u>les meilleurs produits frais</u> <u>aux enfants des cantines scolaires</u> pour former leur palais.

....

2. Tu pourrais adresser <u>un livret-conseil portant sur la conservation</u> <u>à ta clientèle</u> afin de lutter contre le gaspillage.

....

3. Il te faudrait te souvenir <u>des grands principes nutritionnels</u> lorsque tu manges au restaurant.

....

🎵 La mise en relief

13. a. 🎧►4 Écoutez. Relevez les phrases emphatiques.

2, ...

b. 🎧►4 Réécoutez et complétez le tableau.

Phrase n°	Élément mis en relief	Structure de la mise en relief			Type de phrase		
		c'est... / ce sont qui / que	il y a... qui / que	voici / voilà... qui / que	déclarative	injonctive	interrogative
2	les céréales						
......	....						
......	....						
......	....						

14. Réécrivez les phrases en mettant en relief les groupes de mots soulignés. Variez les structures et faites les modifications nécessaires.

1. Le ministère de l'Agriculture a finalement reçu la charge de <u>cette remise à plat des doses de produits phytosanitaires autorisées</u>.

   . . . .

   . . . .

2. Les autorités sanitaires ont mis en garde <u>deux ans auparavant</u> contre l'abus de certaines boissons sucrées.

   . . . .

   . . . .

3. <u>Jean-Pierre Coffe</u>, un critique gastronomique, a permis de changer certaines pratiques dans la préparation de la charcuterie industrielle.

   . . . .

   . . . .

4. Toutes fêtes confondues, <u>Pâques</u> reste la période durant laquelle le plus de chocolat est commercialisé en France.

   . . . .

   . . . .

5. Sur le plan de travail de tous les pâtissiers amateurs se trouve <u>un robot pâtissier</u> permettant de mixer, pétrir et fouetter.

   . . . .

   . . . .

6. Ne vous y trompez-pas, <u>cette année-ci</u> verra les meilleurs rendements viticoles de la décennie !

   . . . .

   . . . .

15. a. Lisez l'article et soulignez un élément qu'il conviendrait de mettre en relief dans chaque phrase.

---
cuisinedumonde.fr

Ce continent a la cote en cuisine : l'Afrique ! En tout 54 pays cultivent un riche héritage culinaire. Et la tendance le montre bien, la cuisine africaine ne tend-elle pas à rayonner dans nos contrées occidentales ? Dans la grande diversité des plats, de multiples saveurs se combinent pour le bonheur de nos palais. Dans ces terroirs où les repas sont des moments de partage, les différentes voix de la cuisine africaine veulent introniser cette culture du partage.

---

b. Réécrivez l'article en utilisant des structures de mise en relief variées.

Nous améliorons notre style

Reprise et substitution : assurer la continuité dans un texte sans se répéter

16. Lisez l'article. Relevez les expressions (pronoms, synonymes, termes génériques ou spécifiques) qui reprennent les éléments listés.

Sylvie Brunel : « En Afrique, l'agriculture moderne laisse de côté les masses paysannes »
Selon la géographe, les États peuvent lutter contre la précarité rurale en favorisant la création de groupements de producteurs, de coopératives et de syndicats.

La professeure à Sorbonne université et auteure de nombreux livres consacrés à la faim et au développement croit aussi que l'Afrique conserve le potentiel pour devenir « le grenier du monde ». L'enjeu sera de nourrir ce continent qui dispose pourtant de toutes les ressources pour être parmi les plus puissants. En effet, sa population doublera d'ici 2050, alors que l'agriculture y est moins productive que dans le reste du monde. La question des paysans, groupe essentiellement constitué de petits producteurs, est cruciale parce qu'ils sont très nombreux. Même si les villes s'accroissent très rapidement, les urbains ne dépasseront les ruraux qu'en 2030. Or, ces derniers souffrent car leurs systèmes agraires sont encore très fragiles et les pertes importantes. Mais quand on parle de l'agriculture africaine, on parle surtout de l'agriculture familiale, et celle-là, sauf quand elle est soutenue par l'État, est dans une situation fort délicate. Malgré leur puissance numéraire, les masses paysannes sont moins écoutées que les citadins qui, eux, ont les moyens, en descendant dans les rues, de renverser le gouvernement. Ce dernier a donc préféré remplir les estomacs des urbains – les bourgeois, les étudiants, l'armée – à bas prix pour acheter la paix sociale.
Face à ces constats d'échec, deux modèles s'affrontent : un premier qui préconise de passer à l'agrobusiness et un second qui valorise l'agriculture paysanne. Le berceau de l'humanité tranchera-t-il entre l'un ou l'autre ?

1. Sylvie Brunel : *la géographe (terme spécifique),* ....

2. L'Afrique : *ce continent (terme générique),* ....

3. Les gens qui vivent en ville : ....

4. Les gens qui vivent à la campagne : ....

5. L'agriculture : ....

6. L'alternative proposée : ....

17. Réécrivez l'article pour supprimer les répétitions en couleur.

https://www.lavoixdunord.fr

La rue Esquermoise de Lille paraît calme, mardi 15 mai 2018, dans l'après-midi. Pourtant, la veille au soir, des militants végans ont détruit volontairement les vitres de la boucherie L'Esquermoise. « Ce n'est pas la première fois que ça arrive, mais la deuxième ou la troisième », signalent les propriétaires de la boucherie présents derrière le comptoir, au lendemain de la destruction des vitres de la boucherie.

Filmés, les militants végans n'ont pas été discrets. Les militants végans ont laissé un message clair en dessous des vitres : « Non au spécisme ». Martine Aubry, maire de la ville de Lille, a immédiatement réagi. Elle affirme son soutien aux propriétaires de la boucherie, elle s'indigne dans un communiqué : « J'ai appris avec consternation que les vitres de la boucherie avaient été détruites. Chacun a le droit d'avoir des opinions et de les défendre. Mais rien ne justifie de détruire les vitres d'une boucherie. Je condamne fermement la destruction des vitres de la boucherie. » Et le premier magistrat de la ville indique que la Ville se constituera partie civile aux côtés des propriétaires de la boucherie, pour une action en justice. La destruction des vitres de la boucherie suscite la colère dans le quartier.

DOSSIER **3** Prenons soin de nous

Nous enrichissons notre vocabulaire

Les professionnels de la santé et les soins

> Leçons **1**, **3** et **4**

1. a. Associez les mots et les expressions synonymes. Soulignez ceux qui relèvent du registre familier.

un hosto un médecin un rhume un médoc une crève

un toubib un centre de soins un médicament une blouse blanche

un comprimé un coup de froid un hôpital

1. . . . . , ... , ...

2. . . . . , ... , ...

3. . . . . , ... , ...

4. . . . . , ... , ...

b. Complétez les dialogues avec des mots et des expressions de l'activité **1a**. Faites les accords nécessaires.

1. – T'as vu le titre du *Figaro* ? « Robes noires et . . . . à nouveau dans la rue ce lundi. »

   – Ah ben, j'crois que les . . . . en ont vraiment ras-le-bol !

   – Et les avocats aussi !

2. – Arrête de te gaver de . . . . Tu n'as qu'un tout petit . . . . !

   – Tu rigoles ? Ça fait trois semaines que j'ai cette fichue . . . .

3. – Un nouveau . . . . high-tech ouvrira l'année prochaine en plein centre-ville. On y trouvera tous

   les professionnels du médical et du paramédical rassemblés dans un bâtiment conçu par un architecte en vue.

   – Tu vas voir les honoraires, ils vont bien grimper ! Le bon vieil . . . . public gratos pour tout le

   monde, c'est bientôt fini !

2. a. Lisez le texte. Associez les suffixes d'origine grecque à leur signification.

Marcel a été diagnostiqué psychopathe il y a dix ans et depuis, il voit son psychiatre fréquemment, lui seul pouvant renouveler et ajuster ses prescriptions de médicaments. Il voit plus régulièrement encore des psychothérapeutes qui l'aident à se sentir mieux et n'hésite pas à avoir recours aux services d'un naturopathe. Même s'il a aujourd'hui cessé de voir son psychologue, il n'oublie pas que c'est lui qui a posé le diagnostic et qui lui a trouvé un psychiatre spécialiste de sa pathologie.

a. -iatre • • 1. spécialiste d'une science

b. -logue • • 2. celui qui souffre d'une maladie ou qui soigne

c. -thérapeute • • 3. médecin

d. -pathe • • 4. celui qui prend soin de quelqu'un

b. Définissez les noms des professionnels de la santé.

1. Un(e) cardiologue : . . . .

2. Un(e) pneumologue : . . . .

3. Un(e) gynécologue : . . . .

4. Un(e) pédiatre : . . . .

5. Un(e) musicothérapeute : . . . .

6. Un(e) hypnothérapeute : . . . .

7. Un(e) homéopathe : . . . .

8. Un(e) ostéopathe : . . . .

3. **Remplacez les mots et les expressions par un synonyme de la liste. Faites les accords nécessaires.**

soignant • désertification médicale • corps médical • interne • généraliste • pathologie • professionnel de santé • doyen • urgentiste • infirmier

1. Les habitants d'un village de Haute-Loire voient d'un mauvais œil le départ à la retraite du .... [médecin de famille]. Celui-ci ne sera pas remplacé. En cause : la .... [pénurie de médecins dans les zones rurales]. Les patients souffrant de .... [maladies] chroniques redoublent d'inquiétude. Désormais, le premier médecin sera à 40 km.

2. Les .... [personnes qui travaillent dans le domaine médical] ont manifesté jeudi dernier pour alerter sur la situation de l'hôpital public qu'ils jugent à bout de souffle. Tous étaient représentés dans les rangs des manifestants, ... [directeurs d'université], médecins, ... [médecins en formation], ... [médecins des urgences], ... [auxiliaires médicaux]. Le président de la République dit avoir entendu la colère des .... [du personnel médical].

3. Une expérimentation de l'Assurance maladie consistant à dévoiler les motifs des arrêts de travail des salariés à leur employeur inquiète le .... [l'ensemble des médecins].

Les avancées de la recherche médicale
> Leçon **2**

4. **Complétez l'article avec les mots et les expressions de la liste. Faites les modifications nécessaires.**

tester • résultat • découverte • artificiel • avancée majeure • chercheur • effet secondaire • laboratoire • expérience • scientifique

Une découverte prometteuse

Une équipe de .... (1) japonais a mis au point du sang .... (2). Universel et plus aisé à conserver que le sang naturel, il pourrait sauver de nombreuses vies. Ce sont des .... (3) du Collège médical de la défense nationale de la ville de Tokorozawa qui l'ont créé en .... (4). Selon eux, il pourrait être transfusé à des patients, quel que soit leur groupe sanguin. Les .... (5) de cette .... (6) ont été publiés dans la revue médicale *Transfusion* et sont très prometteurs. Ce sang a déjà été .... (7) sur dix lapins ayant perdu une importante quantité de sang. À l'issue des tests, aucun .... (8), comme la coagulation, n'a été signalé et six lapins ont survécu. Cette .... (9) est une .... (10) dans le domaine médical. Un nouveau pas de géant dans le domaine de la transfusion.

5. 🎧►5 **Écoutez les présentations d'avancées médicales majeures et associez-les à un domaine.**

a. la fécondation in vitro → n° ....

b. l'anesthésie → n° ....

c. la radiologie → n° ....

d. les robots chirurgiens → n° ....

e. la vaccination → n° ....

f. l'impression en 3D d'organes artificiels → n° ....

g. la chirurgie → n° ....

h. la transfusion sanguine → n° ....

6. Lisez le document. Présentez l'enquête et les résultats obtenus. Utilisez les verbes suivants :

~~conduire~~ • citer • se prononcer en faveur de • craindre • déclarer • estimer • se méfier • inquiéter

Résultats d'une enquête sur l'e-santé

Dans quel domaine faut-il développer l'e-santé ? Les objets connectés ■■■■➤ **64** %

Les nouvelles technologies sont-elles utiles en matière de prévention ? Oui ■■■■➤ **76** %

Utilisez-vous les nouvelles technologies en matière de santé ? Non ■■■■➤ **89** %

Pourquoi ? Coût excessif ■■■■➤ **59** %

Manque de fiabilité ■■■■➤ **50** %

Que doivent permettre les dispositifs numériques ? Communiquer avec le médecin hors consultations ■■■■➤ **63** %

Les objets connectés sont-ils utiles dans le cas d'une maladie chronique ? Oui ■■■■➤ **70** %

Quelles sont vos réticences ? La sécurisation des données ■■■■➤ **50** %

L'IFOP *a conduit* une enquête auprès de ....
....
....
....
....

Panel : 1 200 patients   source : IFOP

> **Lexique thématique du dossier 3**

7. Lisez les rubriques du lexique. Complétez-les avec des mots et des expressions que vous connaissez.

Le personnel soignant

un médecin, un généraliste
un urgentiste, un interne
un spécialiste (un cardiologue, un pneumologue)
établir un protocole de soin
examiner (un examen)
ausculter (une auscultation)
guérir (la guérison)
traiter (le traitement)
soigner (le soin)
un désert médical

L'enquête scientifique

conduire / mener une enquête scientifique
contribuer à la recherche médicale
un groupe de volontaires
les personnes interrogées, les sondés
déclarer, citer, estimer, penser, conclure
accepter, adopter ≠ refuser
se prononcer en faveur de qqch
se montrer réticent, craindre, se méfier

La maladie

une affection
une pathologie
un trouble
une maladie grave / chronique
une tumeur bénigne ≠ maligne

Les techniques de soin

le don
donner son sang / ses organes
greffer (une greffe)
transplanter (une transplantation)
un donneur (-euse)
un receveur (-euse)
la procréation médicalement assistée (PMA)
la médecine à distance, l'e-médecine
l'automatisation, la robotisation
les données numériques de santé
les médecines alternatives
la médecine naturelle ≠ conventionnelle

Nous perfectionnons notre grammaire

Les pronoms compléments

8. 🎧₁₆ **Écoutez les devinettes et soulignez de qui ou de quoi on parle.**

Exemple : <u>À consulter un médecin.</u> / À son médecin traitant.

1. De sa carte vitale. / De son médecin traitant.

2. À des thérapeutes. / À des médecines alternatives.

3. Des guérisseurs. / Des remèdes naturels.

4. Des médicaments homéopathiques. / Des médecins homéopathes.

5. Le sport. / Qu'il faut faire du sport.

6. Au système français de formation des médecins. / À leur magnétiseur.

7. Aux heures supplémentaires. / Aux infirmières.

8. De l'hôpital. / Au service des urgences.

Souvenez-vous

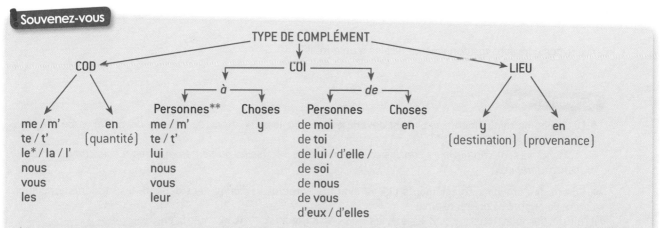

TYPE DE COMPLÉMENT

	COD		COI (à)		COI (de)		LIEU	
			Personnes**	Choses	Personnes	Choses		
me / m'	en	me / m'	y	de moi	en	y	en
te / t'	[quantité]	te / t'		de toi		[destination]	[provenance]
le* / la / l'		lui		de lui / d'elle /			
nous		nous		de soi			
vous		vous		de nous			
les		leur		de vous			
				d'eux / d'elles			

* *le* ou *l'* remplit aussi la fonction de pronom COD neutre et remplace un élément indéterminé ou toute une proposition.
Ex. : *Se laver les mains avant et après chaque consultation ? Je **le** fais toujours.*

** Sauf si le complément suit :
– les verbes *tenir à, être à, penser à, songer à, faire attention à*
– les verbes pronominaux construits avec la préposition *à*,
on emploie alors : *à* + pronom tonique. **Ex. :** *Je pense à **toi**. Je m'adresse à **lui**.*

9. **Complétez la présentation de la réforme des études de santé en France avec des pronoms compléments. Faites les élisions nécessaires.**

Les études de médecine en France, bien des jeunes *y* songent comme à un paradis inaccessible, tant elles .... (1) semblent difficiles à réussir. Résultat : beaucoup ne se .... (2) engagent pas, la mixité sociale se .... (3) trouvant limitée. C'est en pensant .... (4), ces jeunes qui ne sont pas des bêtes de concours mais dont la vocation est forte, que le gouvernement .... (5) a modifié, ce parcours du combattant. Dès la rentrée 2020, un candidat disposera de différentes voies d'accès aux études de santé. Il y .... (6) aura deux principalement : via une licence à option « accès santé » ou via un parcours spécifique « accès santé ». Dans tous les cas, on .... (7) imposera d'être pluridisciplinaire, ce qui .... (8) évitera de ne rien valider au terme de sa première année, comme c'est trop souvent le cas aujourd'hui.

10. **Répondez en utilisant des pronoms compléments. Attention à la place des pronoms !**

Exemple : Les controverses autour de la PMA tiennent-elles à la procédure médicale elle-même ?
→ *Oui, elles y tiennent. / Non, elles n'y tiennent pas.*

1. Pensez-vous que la recherche nanocellulaire puisse apporter des solutions à la médecine ?

   . . . .

2. Voulez-vous consulter un spécialiste de médecine alternative ?

   . . . .

3. Tenez-vous à votre médecin de famille ?

   . . . .

4. Avez-vous dit à vos proches ce que vous souhaitez faire de vos organes après la mort ?

   . . . .

5. Osez-vous faire part de vos doutes à votre médecin ?

   . . . .

6. Pourriez-vous vous servir de remèdes naturels ?

   . . . .

7. Avez-vous déjà joint vos données médicales à un e-mail ?

   . . . .

Souvenez-vous

● Les pronoms compléments se placent **devant le verbe** qu'ils complètent, c'est-à-dire **devant le verbe conjugué** OU **devant le verbe à l'infinitif**.
Ex. : *Quand présenteront-ils leurs conclusions à la ministre ? Ils **les lui** présenteront demain. / Ils comptent **les lui** présenter demain.*

● **L'ordre des pronoms compléments** placés avant le verbe qu'ils complètent dépend des pronoms employés. L'ordre de priorité se présente ainsi :
1. me, te, se, nous, vous   2. le, la, l', les   3. lui, leur   4. y   5. en

● Les compléments comportant des **pronoms toniques** (*à toi, de nous…*) se placent **après le verbe**.

L'expression de la cause et de la conséquence

11. **a.** **Lisez le blog. Soulignez les termes introduisant une cause et encadrez les termes introduisant une conséquence.**

◄ ► C   http://www.monblog.fr/leblogdedamien   ☆   🔍

Histoire d'un désamour

Les raisons pour lesquelles la médecine a chuté dans l'estime des Français, entraînant avec elle praticiens et médicaments, traitements et structures, sont difficiles à déterminer. Autrefois, du fait de son parcours et de ses connaissances, le médecin suscitait le respect, particulièrement à la campagne puisqu'il y était l'un des seuls à avoir étudié. Puis les temps ont changé et à force de modernisation, la connaissance et l'accès à l'information se sont généralisés, au point de donner l'impression à certains qu'ils en savaient autant que les spécialistes de santé. Sous prétexte de quelques recherches ou quelques exemples entendus ! Par ailleurs, dès lors qu'on a changé de regard sur les personnels de santé et les centres de soins, les impacts se sont multipliés. Des enquêtes ont notamment montré que, comme dans toutes les professions, des erreurs pouvaient être commises, des résultats pouvaient être faux. On le sait : toutes les erreurs n'ont pas d'explications scientifiques, certaines viennent du facteur humain. Bref : cela a eu pour effet de provoquer un sentiment de défiance, et sous l'effet de l'œil critique de la société moderne, le corps médical a rejoint le reste des humains « normaux » et critiquables…

b. Classez les expressions de l'activité **11a** dans le tableau. Complétez chaque liste avec des termes que vous connaissez.

Expressions introduisant…	Verbes	Noms	Connecteurs logiques
une cause	. . . .	*les raisons,*	. . . .
une conséquence	*entraîner,*	. . . .	. . . .

12. Transformez les énoncés en une phrase exprimant une cause et une conséquence. Utilisez les connecteurs logiques indiqués.

Exemple : La recherche en France a un peu perdu de son importance. Il manque le budget nécessaire (par). Certains diplômés parmi les plus brillants partent à l'étranger (si bien que).
→ *Par manque de budget nécessaire, la recherche en France a un peu perdu de son importance, si bien que certains diplômés parmi les plus brillants partent à l'étranger.*

1. En France, les dons d'organes sont très réglementés. On craint la marchandisation du corps humain (dans la mesure où). Les dons ne sont pas très répandus (de sorte que).

. . . .

. . . .

2. La PMA est de plus en plus répandue. Des tabous ont été levés (tant… que). De plus en plus de couples infertiles peuvent procréer (ainsi).

. . . .

. . . .

3. L'anonymat était au cœur de la législation sur les dons de gamètes. On cherchait à encourager ces dons (comme). Les recherches d'antécédents médicaux sont aujourd'hui problématiques (d'où).

. . . .

. . . .

4. La thérapie génique commence à faire ses preuves. La recherche réalise des progrès (tellement… que). Certains patients ont un nouvel espoir (dès lors).

. . . .

. . . .

5. Peu de recherches sont effectuées sur les maladies orphelines. Elles ne concernent que de rares patients (sous prétexte que). Ceux qui en souffrent ne bénéficient d'aucun traitement (par conséquent).

. . . .

. . . .

6. La nanomédecine commence à émerger. Ses développeurs publient des résultats encourageants (à force que). Elle pourra s'associer à d'autres traitements pour combattre de nombreuses maladies (de ce fait).

. . . .

. . . .

13. Rédigez l'introduction de la pétition « Pour le remboursement des séances de sport à ceux qui souffrent du dos ». Utilisez des termes exprimant la cause et la conséquence.

Nous améliorons notre style

La modalisation pour exprimer son point de vue

14. Lisez la lettre de démission collective de médecins hospitaliers envoyée à la ministre de la Santé. Cochez les procédés de modalisation utilisés et soulignez-les dans le texte.

Madame la Ministre,

Nous signataires, chefs de service, responsables d'unité fonctionnelle [...] ou de départements médico-universitaires, voulons vous faire part de notre profonde déception face à l'insuffisance du plan d'urgence annoncé le 20 novembre. C'est trop peu, trop partiel, trop étalé dans le temps. Nous sommes conscients qu'on ne corrige pas les insuffisances ou les erreurs du passé en deux ans mais il y a urgence. La dégradation des conditions de travail des professionnels est telle qu'elle remet en cause la qualité des soins et menace la sécurité des patients.

Il faut un plan avec un volet national et un volet régional. Le financement de ce plan doit être calculé en fonction des objectifs de santé. [...] Selon nous, le volet national de ce plan devrait comprendre trois mesures essentielles :
1. une revalorisation significative des salaires, [...]
2. un objectif national des dépenses d'assurance maladie n'imposant pas de nouvelles économies aux hôpitaux, [...]
3. une révision profonde du mode de financement afin de permettre d'appliquer la règle du juste soin pour le patient au moindre coût pour la collectivité [...].

C'est pour vous alerter solennellement que nous avons pris en toute responsabilité, la décision inédite et difficile de démissionner collectivement de nos fonctions ou mandats si des négociations ne sont pas engagées. [...]

1. ☐ Noms, pronoms ou possessifs renvoyant à l'énonciateur et / ou au destinataire
2. ☐ Vocabulaire expressif : péjoratif, mélioratif, évaluatif (noms, adjectifs, verbes)
3. ☐ Mots et expressions de l'opinion et du jugement
4. ☐ Mots et expressions du doute, de la certitude, des sentiments…
5. ☐ Subjonctif, conditionnel, futur pour prendre de la distance
6. ☐ Verbes de modalité
7. ☐ Phrases non déclaratives
8. ☐ Emphase, mise en relief
9. ☐ Ponctuation expressive

15. Enrichissez les phrases avec les procédés de modalisation indiqués.

Exemple : Les études de médecine sont difficiles. (emphase, vocabulaire expressif, ponctuation)
→ *Les études de médecine sont si difficiles que beaucoup d'étudiants finissent par abandonner !*

1. Le financement de la recherche médicale baisse. (opinion, mise en relief)

....

2. On envisage de lever l'anonymat du don d'organe. (doute, phrase interrogative)

....

3. Les médecins de campagne disparaissent. (conditionnel, pronom renvoyant à l'énonciateur)

....

4. Les traitements homéopathiques seront déremboursés. (verbe de modalité, vocabulaire expressif)

....

16. Réagissez à la lettre de démission collective des médecins hospitaliers. Donnez votre opinion, argumentez avec des exemples et utilisez des procédés de la modalisation.

DOSSIER **4** À corps et à cri

Nous enrichissons notre vocabulaire

⊃ Le corps déprécié

> Leçon **1**

1. a. Lisez le billet d'humeur. Complétez le tableau.

Il est intolérable qu'une partie importante de l'humanité soit maltraitée par la société juste parce qu'elle dévie de la norme ! Aujourd'hui, il ne faut être ni trop petit, ni trop grand, ni trop gros, ni trop maigre, ni trop blanc, ni trop noir... sous peine d'être disqualifié ! La norme semble exclure la plupart d'entre nous finalement ! À moins que l'on ne prenne en compte les dieux et déesses – quoique ces termes soient discutables – de Photoshop qui agrandissent la communauté Instagram de jour en jour et n'ont l'air d'exister que pour elle ! La diversité serait-elle synonyme de discordance ? Nous condamnons fermement les comportements irrespectueux et anormaux d'une société qui dysfonctionne. Pourquoi faudrait-il délimiter les contours du corps idéal ? La perfection ne se trouve-t-elle pas justement dans la richesse et la variété d'une société inclusive ?

Préfixes et sens	Exemples du texte
in- / *im-* / *il-* / *ir-* : le contraire	*intolérable*, ...
dé(s)- / *dis-* : le contraire	....
mal- : le contraire	....
a- : l'absence, la privation	....
dys- : le mauvais fonctionnement, l'anomalie	....

b. Définissez les mots suivants.

1. irréversible : ....

2. dévêtu : ....

3. disgracieux : ....

4. malhabile : ....

5. atypique : ....

6. dysmorphie : ....

⊃ Le langage du corps

> Leçon **3**

2. Entourez le mot correct.

Mauro fronce les **sourcils** / **yeux** (1). Tous ses collaborateurs se mettent le **pouce** / **doigt** (2) dans l'œil, vraiment. Jamais le directeur général de la boîte n'acceptera de mettre au point une collection grande taille. Rien que de s'imaginer en parler au grand patron, il sent la sueur perler sur son **cou** / **front** (3). À moins que… Il réfléchit, se caresse le **menton** / **pied** (4). À moins que ce ne soit Cathy qui défende le projet à sa place. Cathy, c'est une grande **langue** / **gueule** (5) et elle a la **langue** / **bouche** (6) bien pendue. Le genre de femme qui vous regarde droit dans les **paupières** / **yeux** (7) sans sourciller et vous dit que c'est comme ça et pas autrement. Point barre. Tout le contraire de Mauro. Son **pied** / **talon** (8) d'Achille : la timidité. Mauro, lui, c'est l'artiste au grand **cœur** / **cerveau** (9) qui sait révéler la beauté des corps, de tous les corps. Les mauvaises **lèvres** / **langues** (10) disent de lui qu'il se tourne les **pouces** / **orteils** (11), qu'il a un poil dans la **nuque** / **main** (12). En effet, il peut passer des heures assis à son bureau, le regard dans le vide à imaginer quelles étoffes il intégrera à sa nouvelle collection… Mauro se ressaisit. Il semble satisfait. Un sourire se dessine sur ses **lèvres** / **joues** (13). Cathy et lui vont désormais travailler ensemble, **paume** / **main** (14) dans la main.

3. a. Associez les expressions à leur synonyme.

1. réservé(e) aux handicapés

2. une personne malentendante

3. une personne à mobilité réduite

4. facile d'accès

5. une personne ayant une déficience visuelle

6. une personne atteinte de surdité

7. une personne en situation de handicap

8. une personne non voyante

9. un handicapé moteur

10. une limitation

11. un sourd

12. un handicapé

13. une incapacité

14. un aveugle

15. une personne valide

a. une personne qui a un handicap (en général)

b. une personne qui n'a pas de handicap

c. une personne qui a un handicap lié à la vue

d. une personne qui a un handicap lié à l'ouïe

e. une personne qui a un handicap lié à la mobilité

f. accessible aux personnes handicapées

g. une conséquence du handicap

b. Soulignez les expressions de la première colonne qui expriment une atténuation.

> **Souvenez-vous**
>
> On a recours à des **figures de style** telles que l'euphémisme ou la périphrase pour **atténuer** des faits ou des idées considérés comme déplaisants. Ces figures de style sont des outils du politiquement correct. **Ex.** : *une personne à mobilité réduite (= un(e) handicapé(e) moteur).*

4. Complétez l'article avec les mots et les expressions de la liste. Faites les accords nécessaires.

estime de soi • pas • danse inclusive • handicap • paralysé • limiter • valide • fauteuil roulant • pratique discriminatoire • corps • mouvement avec les bras • en situation de handicap • paraplégique • capacité physique

---

La danse inclusive

Bouger un .... (1) qui ne répond plus, l'associer aux .... (2) des autres. C'est le principe même de la .... (3) qui mêle dans les mêmes chorégraphies des personnes .... (4) (malvoyants, ... (5), amputés, polyhandicapés) à des danseurs .... (6). Sans aucun objectif thérapeutique, cette conception de la danse considère qu'est danseur quiconque participe à un spectacle ou à un cours de danse, qu'importent ses .... (7). Florence Mariani, chorégraphe au sein de la compagnie de danse inclusive Inside, elle-même .... (8) à la suite d'un accident de la route, explique que cette discipline permet d'éliminer les .... (9) et d'améliorer l'..................... (10).

De loin, le tableau est étrange. Ça ressemblerait presque à une scène de film surréaliste. Dans un gymnase, d'imposants .... (11) s'alignent sur fond de musique Bollywood, tournent autour de deux danseuses qui enchaînent des .... (12), viennent les encercler, les frôler. Comme dans un cours de danse classique, Florence interrompt la musique pour replacer ses danseurs et en recadrer certains. Selon elle, le .... (13) ne doit pas .... (14) : au contraire, il ouvre des portes vers d'autres directions chorégraphiques et pousse à la créativité.

5. Rédigez le prospectus du cours de danse inclusive pour inviter des personnes à venir faire un essai gratuit. Utilisez des mots de l'activité **3b**.

Rejoignez-nous,
venez essayer gratuitement
notre cours de danse inclusive !

....
....
....
....
....

Lexique thématique du dossier 4

6. Lisez les rubriques du lexique. Complétez-les avec des mots et des expressions que vous connaissez.

La représentation du corps et l'image de soi

un idéal / un canon de beauté
un complexe, être complexé(e)
se sentir bien / mal dans son corps / dans sa peau
s'accepter bien / mal
s'assumer tel qu'on est
briser un modèle, casser les codes
redéfinir les standards de beauté
sortir / dévier de la norme

Le langage du corps

parler avec les mains
croiser les bras
hausser / froncer les sourcils
se caresser le menton
cligner des yeux
affronter le regard
serrer la main
une poignée de main

La validité et le handicap

une personne valide ≠ une personne handicapée / en situation de handicap
l'inclusion ≠ l'exclusion
un tabou
un fauteuil roulant
paraplégique, tétraplégique
un traumatisme crânien

L'art et le corps

la silhouette
les courbes
la carnation
la chair
une toile
une sculpture
une installation
une performance

une scénographie
une composition statique
une allégorie
une personnification
le premier plan, l'arrière-plan
représenter, symboliser, évoquer, incarner
susciter l'admiration

Nous perfectionnons notre grammaire

Les pronoms relatifs simples et composés

7. 🎧 47 **Écoutez puis associez pour former des phrases correctes.**

1. Être considéré comme de simples citoyens, c'est quelque chose

2. Ils vivent une situation d'exclusion

3. Des activistes dénoncent la société standardisée et les professionnels de la communication

4. Nous avons rencontré l'un de ces activistes,

5. Il s'agira d'une lutte

6. Sans le savoir, en ce qui concerne l'apparence, nous sommes soumis à des préjugés

7. Dans ce reportage, vous découvrirez le parcours d'obstacles

- que
- lequel
- à propos de laquelle
- pour qui
- dont
- à quoi
- qui

- devra regrouper de nombreuses associations si elle veut atteindre ses objectifs.
- a expliqué les actions à venir de son collectif.
- seule la beauté parfaite est acceptable.
- aspirent de plus en plus de jeunes gens en surcharge pondérale.
- doivent affronter ces jeunes au quotidien.
- trop peu de tabous ont été brisés.
- nous ignorons presque toujours l'existence.

Souvenez-vous

- *Qui* occupe la fonction de **sujet** dans la subordonnée relative et représente un élément animé ou inanimé.

Attention ! *Lequel, laquelle, lesquels* et *lesquelles* peuvent remplacer *qui* uniquement dans une proposition subordonnée explicative et facultative (dans ce cas, la relative est précédée d'une virgule). **Ex. :** *Ils ont créé une association en 2016, laquelle lutte contre l'exclusion.*

- *Dont* remplace un groupe de mots précédé par la **préposition *de***.

- *Lequel, laquelle, lesquels* et *lesquelles* remplacent tout groupe de mots introduit par une **préposition** autre que *de* : *sur, sous, par, avec, à* (attention aux formes contractées *auquel, auxquels* et *auxquelles*), etc.

- *Duquel, desquels, desquelles* remplacent *lequel, lesquels* et *lesquelles* après une **locution prépositionnelle** finie par *de* : *près de, loin de, le long de, à propos de*, etc.

- Précédés d'une préposition, *qui* remplace un **élément animé** et *quoi* remplace les formes **indéfinies** *quelque chose, rien, ce*.

8. Complétez l'article avec des pronoms relatifs composés. Utilisez les prépositions ou les locutions suivantes : ~~parmi~~, *pour, contre, dans, par le biais de, à, sur la base de*.

Projet de loi

Afin de mieux aider les personnes en situation de handicap, bien des propositions de loi ont été déposées ces dernières années, *parmi lesquelles* celle que les députés examinent ce jour. Alain Milon, sénateur .... (1) la situation existante était trop complexe, veut rendre plus effective la loi de 2005 .... (2) était énoncée l'obligation d'assurer l'équité à toutes les personnes handicapées. Pour ce faire, le texte comprend diverses dispositions .... (3) on entend améliorer la prise en charge de certains frais et l'aide à l'insertion professionnelle des personnes non valides. Les situations d'exclusion et de précarité, c'est aussi ce .... (4) les associations se battent : les travailleurs handicapés sont confrontés à une inégalité professionnelle, les statistiques .... (5) elles interpellent le gouvernement le montrent clairement. Après son adoption par le Sénat en première lecture, c'est un texte .... (6) on souhaite une longue vie !

9. Lisez la présentation des centres de rééducation. Sur le même modèle, rédiger une présentation du fauteuil roulant. Utilisez cinq pronoms relatifs simples et composés différents.

Exemple. **Les centres de rééducation :** C'est quelque chose <u>sur quoi</u> on devra beaucoup travailler. Avec la durée de vie qui ne cesse d'augmenter, il faudra en construire d'autres <u>pour lesquels</u> un budget sera à définir. Ils regroupent les pratiques <u>grâce auxquelles</u> certains patients retrouveront leur confort de vie, <u>lequel</u> a été impacté par une pathologie ou un accident.

Le fauteuil roulant : . . . .

. . . .

. . . .

. . . .

. . . .

. . . .

⟩ Le subjonctif (1)

10. Lisez ces déclarations sur le handicap et complétez le tableau.

Exemple : Il apparaît que des efforts sont encore nécessaires pour que tous les citoyens soient inclus.

1. On ne doit pas redouter que les citoyens soient confrontés à la différence, au contraire !

2. Il est temps que l'on prenne en main la sensibilisation des plus jeunes !

3. Le collège Carnot est l'unique collège de la ville qui a un accès pour enfant en fauteuil.

4. Il nous semble que les activités artistiques peuvent aider les enfants à s'épanouir.

5. Il est certain que la représentation des personnes handicapées est bien trop faible.

6. Quel dommage que la télévision ne fasse pas la part plus belle à la diversité des corps !

7. Le théâtre est la meilleure activité qu'on puisse trouver pour inclure valides et invalides.

	Expression		Formulation		
	d'un sentiment	d'un jugement	d'une pensée	d'une certitude	d'un constat
Exemple					✔
1.					
2.					
3.					
4.					
5.					
6.					
7.					

Souvenez-vous

• On emploie l'**indicatif** pour formuler des pensées, des certitudes ou des constats.

• On emploie **le subjonctif** pour exprimer des sentiments ou des jugements.
Attention aux propositions relatives du type *le seul qui…, l'unique que…, le plus beau dont…, la première à qui…* : on n'emploie le subjonctif que dans celles qui expriment un **sentiment** ou un **jugement**.
Ex. : *C'est le seul musée qui <u>expose</u> des nus.* (réalité → indicatif)
≠ *C'est le seul musée que j'<u>aie apprécié</u>.* (sentiment → subjonctif)

11. Conjuguez les verbes entre parenthèses au subjonctif ou à l'indicatif.

Dans bien des domaines, on s'intéresse aux dernières recherches sur le langage du corps qui .... (1. être disponible). Vous trouvez étrange que l'on .... (2. vouloir) ainsi se tenir informé de nos gestes ? Vous n'êtes peut-être pas conscient(e) que notre comportement .... (3. tenir) aussi à l'air du temps et à la société qui nous entoure. Notre personnalité n'est pas la seule qui .... (4. avoir) une influence sur nos gestes, vous le savez puisque vous faites peut-être partie de ceux qui .... (5. être agacé), sur les photos, que la cousine .... (6. prendre) toujours la même pose, ou que le petit dernier .... (7. faire) des grimaces. Bref, il apparaît clairement que les gestes .... (8. être) révélateurs de notre personnalité mais également liés à la mode. Rien de surprenant : s'il est aujourd'hui normal que chaque profession .... (9. connaître) des gestes propres à son domaine, acceptons aussi que les divers groupes sociaux .... (10. développer) leur gestuelle spécifique. Quant à l'interprétation de tous ces signes émis par notre corps, seuls ceux qui en .... (11. avoir) une certaine connaissance .... (12. pouvoir) s'y risquer.

12. Commentez cette œuvre en utilisant les expressions suivantes :

- il apparaît que
- on voit que
- j'imagine que
- je suis étonné(e) / surpris(e) que
- j'ai tendance à préférer que
- j'apprécie / je n'apprécie pas que
- il est inouï que

> **Construction de la phrase complexe (1) : subordonnées conjonctive, relative et interrogative indirecte**

13. Complétez le tableau en cochant le type des propositions subordonnées soulignées.

	Proposition subordonnée		
	conjonctive	relative	interrogative indirecte
1. <u>Quand Marcel Duchamp peignit</u> *Nu descendant un escalier n° 2,*			
2. il ne savait pas <u>combien il influencerait l'art moderne aux États-Unis.</u>			
3. <u>Bien que l'œuvre fît scandale lors de sa première exposition</u>, elle consacra la gloire du peintre.			
4. Le nu était alors un sujet très codifié <u>dont l'un des critères était la pose,</u>			
5. donc l'œuvre de Duchamp, <u>qui figure une série de mouvements</u>, sortait des normes.			
6. Il était par ailleurs clair <u>que son dynamisme l'éloignait du cubisme</u>			
7. mais n'explicitait pas encore <u>quel serait son lien avec le futurisme.</u>			

14. À partir des deux phrases simples, écrivez deux phrases complexes. Variez les liens de subordination.

Ce type de représentation ne me plaît pas. Il est trop déstabilisant.

Exemple : Ce type de représentation ne me plaît pas pour la simple raison qu'il est trop déstabilisant.

1. ....
2. ....

Nous améliorons notre style

Les organisateurs textuels : assurer la progression logique dans un paragraphe

15. a. Lisez le texte puis numérotez les éléments dans l'ordre où ils apparaissent. Repérez-les dans le texte.

> Notre attention portée aux célébrités du web est aberrante. / On trouve **en effet** normal de s'intéresser à leur look, à ce qu'ils font au quotidien, ne sachant **pourtant** rien de qui ils sont. / **Ainsi**, plus l'une de ces « stars » a de suiveurs, plus on la juge importante. / C'est **d'ailleurs** ce que le nombre de likes, objectif absolu des temps modernes, fait ressortir. / **De même**, on accepte de valoriser ceux et celles qui placent des produits et cherchent à vendre des formules, comme de simples publicitaires, **alors qu'**ils prétendent faire partie de la grande famille
> 5 des modèles à suivre pour les plus jeunes tout particulièrement. / On pense **notamment** aux artistes engagés ou représentants d'associations qui cherchent à sensibiliser à une cause. / Il est **dès lors** assez naturel que les jeunes gens influençables ne suivent que les modes les plus en vue et oublient parfois ce que leurs « modèles » du web ont vraiment à dire...

Idée défendue par l'énonciateur : *1 (l. 1)*

Explication : . . . .

Idée secondaire 2 : . . . .

Exemple 1 : . . . .

Exemple 2 : . . . .

Idée secondaire 1 : . . . .

Conclusion : . . . .

b. Relevez les organisateurs textuels selon leur fonction.

1. Introduire une explication : *en effet*

2. Présenter un exemple : . . . .

3. Déduire une idée secondaire : . . . .

4. Relever une opposition : . . . .

5. Introduire une idée parallèle : . . . .

6. Conclure : . . . .

> **Souvenez-vous**
>
> En général, un paragraphe a pour fonction de **commenter un fait, développer une idée** ou **répondre à une question.**

16. Complétez ce paragraphe avec les organisateurs textuels suivants :

donc • en effet • par exemple • de plus • en fait • particulièrement • car

La question se pose . . . . (1) depuis toujours, ou presque. On comprend que l'interrogation sous-entendue est de savoir ce que l'art peut bien apporter. . . . . (2), des décideurs hésitent sur les subventions à verser au théâtre. . . . . (3), on s'inquiète parfois concernant la moralité de l'art, on entend plus . . . . (4) des accusations de « provocation » artistique. . . . . (5), beaucoup pensent que l'art ne doit pas être jugé selon son utilité ou les messages qu'il véhicule . . . . (6) cela pourrait le dénaturer. Chacun peut interpréter une œuvre comme il l'entend. Concrètement, l'art ne doit . . . . (7) pas chercher à « servir » à quelque chose.

> **Souvenez-vous**
>
> Afin que les idées s'enchaînent naturellement dans un paragraphe, on utilise des **éléments de substitution** (reprise de l'information) et des **organisateurs textuels**.

17. Rédigez un paragraphe structuré qui développe l'idée suivante : « Dans le domaine de la mode, les modèles ne devraient pas être jeunes exclusivement. » Utilisez les notes ci-dessous et des organisateurs textuels variés.

Tous les acheteurs potentiels doivent être représentés. • Il ne faut pas disqualifier les modèles au-delà de 25 ans. • La majorité des clients ont plus de 25 ans. • On a plus d'argent à dépenser à 40 ans qu'à 25 ans. • Les publicités efficaces s'adressent à la majorité.

DOSSIER 5 Dans quel monde vit-on ?

Nous enrichissons notre vocabulaire

Les inégalités

> Leçons **1**, **2** et **3**

1. a. Associez les mots à leur définition.

~~l'égalité~~ • l'équité • le plafond de verre • la parité • la discrimination • le sexisme • la xénophobie • le jeunisme • la discrimination positive

Exemple : *C'est la garantie de l'accès de chacun(e) aux mêmes droits et opportunités.* → *l'égalité*

a. Instrument qui vise la représentation égale de chaque sexe dans les institutions. → ....

b. Égalité des opportunités pour tous. → ....

c. Inégalité de traitement reposant sur une caractéristique de la personne (origine, genre, etc.). → ....

d. Impossibilité pour certain(e)s de progresser dans la hiérarchie sociale. → ....

e. Sentiment de crainte, d'hostilité, voire de haine envers les étrangers. → ....

f. Attitude de discrimination fondée sur le genre, visant surtout les femmes. → ....

g. Mesure qui favorise des personnes discriminées pour rétablir l'équité. → ....

h. Attitude qui favorise les jeunes et qui disqualifie les plus anciens. → ....

b. 🎧8 **Écoutez les huit extraits de journaux radiophoniques. Terminez la dernière phrase avec un mot de l'activité 1a.**

Exemple : *égalité*

1.	2.	3.	4.	5.	6.	7.	8.
. . . .	. . . .	. . . .	. . . .	. . . .	. . . .	. . . .	. . . .
. . . .	. . . .	. . . .	. . . .	. . . .	. . . .	. . . .	. . . .

Les âges de la vie

2. Remplacez les expressions entre parenthèses par les mots et expressions de la liste.

une génération • la génération X • le management intergénérationnel • les baby-boomers • la socio-démographie • la génération Y

1. .... (l'art de faire travailler ensemble des personnes d'âges différents) permet de gérer les personnels en considérant leur singularité.

2. Comment intégrer dans une entreprise .... (les plus jeunes des salariés), que l'on accuse trop souvent d'impatience et d'égocentrisme ?

3. Peut-on les faire cohabiter avec .... (ceux qui sont nés dans les années d'après-guerre), qui sont à présent en fin de carrière ?

4. Sans oublier .... (les citoyens nés dans les années 1960 et 1970), démontrant soi-disant un opportunisme et une inquiétude caractéristiques.

5. La sociologie identifie .... (un groupe de personnes d'âges proches) en fonction de l'année de naissance mais surtout de l'appartenance à un contexte historique, culturel et économique commun.

6. Dans un souci de cohérence, les spécialistes de .... (discipline qui analyse les générations et décrit leurs traits caractéristiques) proposent de changer de génération tous les cinq ans.

L'engagement et le combat

3. Complétez le texte avec les mots de la liste. Faites les accords nécessaires.

s'opposer • activiste • dénoncer • se mobiliser • défendre • militant • rebelle • lutte • valeur • transgresser

Du nouveau dans la langue !

Un nouveau mot est apparu dans le langage médiatique : celui d'« .... (1) », du terme anglais *activist*. En français, ce terme a une connotation négative. Il désigne des citoyens .... (2), souvent irrespectueux des lois et prêts à les .... (3) pour diffuser leurs idées. Sont ainsi considérés potentiellement dangereux pour la société : les membres de Greenpeace qui harcèlent des plateformes pétrolières pour .... (4) les dangers de cette industrie, les citoyens qui .... (5) à des expulsions de bidonvilles ou de squats, etc. Auparavant, on appelait ceux-ci des .... (6). Ce terme avait une connotation positive. Il désignait des personnes qui .... (7) pour .... (8) une cause. Il s'inscrivait dans une tradition de résistance à l'oppression et de .... (9) pour la liberté et la justice, des .... (10) à la base des démocraties.

4. Classez les expressions selon qu'elles expriment un objectif ou une action.

Expression	Objectif	Action
Exemple : *mettre en place une activité de sensibilisation*		✔
1. promouvoir l'égalité		
2. diffuser un tract		
3. faire signer une pétition		
4. forcer les décideurs à imaginer d'autres voies		
5. se rebeller		
6. manifester dans les rues		
7. protéger les droits humains		
8. lutter pour une cause		
9. envoyer une lettre de solidarité		
10. dénoncer des agissements		
11. produire des œuvres culturelles engagées		
12. faire pression sur les autorités		
13. divulguer un scandale		
14. faire bouger les lignes		
15. occuper un lieu		
16. signifier l'urgence du changement		
17. organiser une confrontation médiatisée		
18. boycotter		
19. dénoncer une pratique		
20. faire la grève de la faim		

5. a. Présentez le document en utilisant des mots et des expressions de l'activité 4. Identifiez sa nature et décrivez-le. À quelle occasion et par qui est-il publié ? Expliquez l'action menée et ses objectifs.

LA CGT, AVEC LA FSU, SOLIDAIRES, L'UNEF ET LES ASSOCIATIONS FÉMINISTES,

APPELLENT À LA GRÈVE

#8MARS15H40

JOURNÉE DE LUTTE

LE 8 MARS, CE N'EST PAS LA JOURNÉE DE LA FEMME, POUR OFFRIR DES FLEURS OU DES PRODUITS DE BEAUTÉ, C'EST LA JOURNÉE INTERNATIONALE DE LUTTE POUR LES DROITS DES FEMMES.
EN 2017, LA MOBILISATION EST PLUS QUE JAMAIS NÉCESSAIRE FACE À CEUX QUI VEULENT REMETTRE EN CAUSE LES DROITS ET LIBERTÉS DES FEMMES EN FRANCE, COMME AUX ÉTATS UNIS, EN RUSSIE, EN POLOGNE OU ENCORE EN TURQUIE.

15H40 POURQUOI ?

15H40, C'EST L'HEURE À LAQUELLE LES FEMMES ARRÊTENT D'ÊTRE PAYÉES CHAQUE JOUR, SUR LA BASE D'UNE JOURNÉE STANDARD (9H – 12H30/13H30 – 17H). LES FEMMES SONT TOUJOURS PAYÉES 26% DE MOINS QUE LES HOMMES :
• PARCE QU'ELLES SONT 30% À TRAVAILLER À TEMPS PARTIEL,
• PARCE QU'ELLES SONT CONCENTRÉES DANS DES MÉTIERS DÉVALORISÉS SOCIALEMENT ET FINANCIÈREMENT,
• PARCE QU'ELLES ONT UN MOINS BON DÉROULÉ DE CARRIÈRE,
• PARCE QU'ELLES TOUCHENT MOINS DE PRIMES INDIVIDUELLES.

TOUTES LES INFOS POUR AGIR : *8MARS15H40.FR*

#VIEDEMÈRE

b. Imaginez d'autres actions possibles pour alerter sur le sujet.

Lexique thématique du dossier 5

6. Lisez les rubriques du lexique. Complétez-les avec des mots et des expressions que vous connaissez.

L'engagement

un(e) militant(e), un(e) activiste
militer pour une cause, s'engager, être engagé(e) dans la lutte contre / pour...
manifester, se mobiliser
entraîner une prise de conscience
faire entendre sa voix
lutter contre des inégalités
dénoncer
revendiquer

Les inégalités

l'exclusion
la répression
l'oppression
la discrimination
la stigmatisation
l'inégalité homme-femme
le sexisme, la misogynie
le féminisme

Les âges de la vie

un trentenaire, un quadra(génaire), un quinqua(génaire), un sexagénaire...
une personne âgée, un senior
un baby-boomer, la génération X / Y / Z, un millénial
le jeunisme
un conflit intergénérationnel
bien / mal vivre son âge
assumer son âge

Nous perfectionnons notre grammaire

Les adjectifs : place et accord

7. a. 🎧 9 Écoutez l'extrait. Complétez le tableau sur la place de l'adjectif.

	immense	grand	simple	dix	nouvelle	vieille	autre	mauvaises	pire	ancienne	différents	vraies	longue
avant le nom	✔												
après le nom													

b. 🎧 9 Réécoutez et complétez les règles avec des exemples tirés de l'extrait.

1. En général, les adjectifs suivants se placent **avant le nom** :
   - les numéraux cardinaux (*un*, *deux*, etc.) et ordinaux (*premier*, *deuxième*, etc.) ;
   - *petit, grand vieux, jeune, nouveau, joli, beau, vilain, gros, bon, mauvais, gentil, long, meilleur, moindre, pire, autre*, etc.

   Exceptions : ces adjectifs peuvent être **après le nom** dans une structure comparative.

   Exemple : *un écart* .... ; *des musiques* ....

2. Les autres adjectifs sont placés **après le nom**.

   Exceptions : placés **avant le nom**, les adjectifs exprimant un jugement deviennent emphatiques.

   Exemple : *l'*.. *fossé* ; *une longue et* .... *série de malentendus*

3. **Attention !** Certains adjectifs changent de sens selon leur position :
   - ils prennent en général un sens figuré **avant le nom**

   Exemple : *aux vraies mariées* souligne ce qui est évoqué ;

   .... *génération* signifie « seulement cela, rien d'autre » ;

   cette .... *tradition* signifie « qui n'existe plus actuellement » ;

   .... *âges de la vie* signifie « plusieurs » ;

   - ils gardent leur sens propre **après le nom**.

   Exemple : *une ère socio-culturelle toute* .... insiste sur le caractère original ;

   une dame .... souligne les effets visibles de l'âge sur la personne.

8. Accordez si nécessaire les adjectifs en italiques extraits de l'activité 7.

1. une ère *socio-culturel* → ....
2. des robes *neige* → ....
3. les tissus *noir de jais* → ....
4. des ensembles *bleu marine* → ....
5. des vestes *anthracite* → ....
6. des pantalons *léopard* ou *bleu métallisé* → .... ou ....

7. des couleurs *semi-acceptable* → ....
8. des chaussettes *safran* → ....
9. des chaussures *acajou* → ....
10. des bijoux *mauve* → ....
11. une tunique *grenat* → ....

Souvenez-vous

- **Accord des adjectifs composés**
Seuls les mots variables et entiers s'accordent.
Ex. : des femmes avant-gardistes, une personnalité franco-anglaise.
     préposition invariable   élément incomplet
- Les noms simples (*orange, moutarde*...) ou composés (*bleu-vert, rose pâle*) utilisés comme adjectifs pour **désigner une couleur** sont invariables ; sauf *châtain, écarlate, rose, vermeille, pourpre, incarnat, mauve, violet, fauve* qui s'accordent.

9. Placez les adjectifs entre parenthèses avant ou après le nom souligné. Faites les accords nécessaires.

De l'autre côté de la enceinte (gris – sale), la ville (ancien) (1) s'étendait. Et c'était une ville (vrai) (2), pas de celles
l'enceinte grise et sale

que le siècle (nouveau) (3) affectionnait tant. On y voyait vraiment des styles (superbe) (4), depuis les ruines

(gréco-romain) (5) jusqu'aux immeubles (assez grand) (6) de la fin du XXᵉ siècle aux parois (lisse – multicolore) (7),

affichant parfois des tons (vert paon) (8) et des reflets (jaune d'or) (9), en passant par les façades (beau – rose) (10).

Depuis le séisme (dernier) (11), seuls les citoyens (plus brave) (12) que les autres avaient osé des escapades (rares) (13)

dans ces rues (petit) (14) car les autorités (politico-militaire) (15) avaient alors décidé d'y regrouper tous ceux que

l'algorithme (intelligent) (16) avait désignés comme citoyens (simple – psycho-incompatible) (17) avec les règles

(seul) (18) désormais en vigueur.

La comparaison

10. Écrivez des comparaisons de supériorité avec les éléments indiqués. Utilisez les formes *meilleur, mieux, moindre, pire, davantage* et les adverbes *bien* ou *beaucoup* pour renforcer la comparaison. Faites les accords nécessaires.

Exemple : l'estime que l'on a de soi – jouer un rôle – petit – les médias – dans les représentations du corps aux différents âges de la vie
→ *L'estime que l'on a de soi joue un rôle bien moindre que les médias dans les représentations du corps aux différents âges de la vie.*

1. les conjointes collaboratrices – bien protégées par le droit du travail actuel – avant les modernisations de 2002
   → . . . .
   . . . .

2. selon certains opposants à la loi – les mécanismes de discrimination positive – mauvais – les discriminations elles-mêmes
   → . . . .
   . . . .

3. la charge mentale – incomber – aux femmes – aux hommes – dans la plupart des familles françaises
   → . . . .
   . . . .

4. l'acceptation de l'autorité d'un homme – par ses pairs et homologues – bonnes – celle d'une femme – si le personnel d'une entreprise n'y est pas préparé
   → . . . .
   . . . .

Souvenez-vous

Pour **renforcer la comparaison**, on peut utiliser des adverbes comme *bien, beaucoup, vraiment*, etc., mais *beaucoup* ne peut jamais être utilisé avec *meilleur(e), moindre* ou *pire*.

11. Présentez les différences et les similitudes entre ces deux représentations des tâches féminines. Utilisez des adjectifs de comparaison : *analogue à, comparable à, similaire à, identique à, semblable à, même que, différent de, distinct de.*

La femme au foyer des années 1940 et la *wonderwoman* du XXIᵉ siècle

....
....
....
....
....
....
....
....

12. Entourez les expressions de comparaison correctes.

Dans certains domaines professionnels, le phénomène de jeunisme est **tout autre / différent** (1) que dans les start-up les plus modernes. Par exemple, face à des parents venus inscrire leur enfant dans un établissement **telle / tel qu'** (2) une école de commerce, on n'attend pas de jeunes gens branchés mais des gens mûrs, **comme / comme si** (3) les seuls à pouvoir rassurer étaient d'autres parents. Dans un cabinet d'avocats, il en va **de même que / aussi que** (4) dans l'enseignement supérieur, la relation de confiance est **tel / telle** (5) le respect familial pour les aînés, et ceci **d'autant plus que / à mesure que** (6) l'affaire confiée au juriste est personnelle.

Les compléments circonstanciels

13. Indiquez les circonstances exprimées par les compléments circonstanciels soulignés : temps, lieu, manière, moyen, accompagnement, cause, conséquence, but, concession, condition ou comparaison.
Exemple : Récemment (*temps*), une étude a révélé de nombreuses erreurs dans l'orientation des lycéens (*lieu*) à cause d'un dysfonctionnement informatique (*cause*).

1. Dans cette banlieue (.................................), on remarque rapidement (.................................) les investissements réalisés afin d'offrir de meilleures infrastructures aux citoyens (.................................).

2. Accompagné du chargé de mission (.................................), le Premier ministre a annoncé un Plan banlieues faisant suite au rapport remis le mois dernier (.................................).

3. Avec les dernières études socio-économiques réalisées (.................................), un *think tank* propose des améliorations rapides à condition de remodeler le tissu urbain des grandes villes (.................................).

4. Même si les manifestations ont été nombreuses (.................................), il n'est pas question de revenir sur les lois de parité comme cela a été fait précédemment (.................................).

14. Réécrivez les phrases avec les compléments circonstanciels indiqués.
Exemple : Les députés se pencheraient sur la question du CV anonyme. (temps – but – lieu) → *Lors de cette session parlementaire, les députés se pencheraient sur la question du CV anonyme afin de corriger les discriminations des jeunes dans les banlieues.*

1. Un homme a obtenu que sa candidature soit reconsidérée. (opposition/concession – manière)

2. Beaucoup de jeunes cherchent à changer de quartier ou de ville. (lieu – but)

3. Une victime de discrimination peut s'adresser à une association. (condition – manière)

4. Certaines entreprises sont des modèles de parité. (comparaison – temps – cause)

Les registres de langue : marquer des situations d'énonciation

15. 🎧▸10 **Écoutez le récit. Faites les activités proposées à l'aide de la transcription.**

   a. Complétez le tableau.

Énonciateur	Registres de langue utilisés					Raison(s) de l'emploi du registre de langue
	soutenu	standard	familier	populaire	vulgaire	
1. Narrateur						. . . .
2. Madame Tellier						. . . .
3. Hélène avec Madame Tellier						. . . .
4. Hélène avec son mari						. . . .
5. Demandeurs d'emploi 1, 2 et 4						. . . .
6. Demandeuse d'emploi 3						. . . .

   b. Écrivez le registre de langue correspondant aux caractéristiques suivantes. Donnez des exemples tirés de la transcription.

   1. Jurons : registre ....

   Exemple(s) : . . . .

   2. Vocabulaire simple et adapté à la situation, syntaxe correcte : registre ....

   Exemple(s) : . . . .

   3. Vocabulaire riche et précis, tournures de phrases variées, phrases complexes, connecteurs, expressions imagées,

   formules de politesse élaborées : registre ....

   Exemple(s) : . . . .

   4. Mots et expressions familiers, argot, élision du *ne* de la négation : registre ....

   Exemple(s) : . . . .

   5. Vocabulaire approximatif et assez pauvre, interjections : registre ....

   Exemple(s) : . . . .

16. Réécrivez les déclarations des demandeurs d'emploi 1, 2 et 4 et celles d'Hélène à son mari en registre standard.

   1. De « *J'ai bossé…* » à « *… toutes mes tripes.* »

   . . . .

   2. De « *Ah oui, des boulots…* » à « *… un p'tit quequ' chose, Madame ?* »

   . . . .

   . . . .

   3. De « *Je suis toute seule…* » à « *… Comment j'vais faire ?* »

   . . . .

   4. De « *Fais chier…* » à « *… Jeunisme à la con, ouais !* »

   . . . .

   . . . .

17. Écrivez la suite du récit selon le scénario suivant.

   1. Le narrateur (registre soutenu) explique que le lendemain, Hélène retourne au travail.

   2. Hélène (registre standard) reçoit une demandeuse d'emploi qui perd son calme durant l'entretien (registre populaire).

   3. Désemparée, Hélène appelle son mari à la pause déjeuner (registre familier).

DOSSIER **6** TAF (Travail à faire)

Nous enrichissons notre vocabulaire

❯ Le droit du travail

> Leçons **1** et **3**

1. Remplacez les expressions par un synonyme de la liste. Faites les accords nécessaires.

jour de RTT • subalterne • délégué du personnel • mine • retraite • congé payé • syndicat • grève • diminution de salaires • main-d'œuvre • repos • revenu • assurance chômage • usine

LE DROIT DU TRAVAIL EN 8 DATES CLÉS

1841 La France fait travailler les enfants, une .... (1. ouvriers) peu chère et reléguée aux tâches .... (2. inférieures), dans les .... (3. exploitations de charbon), dans les .... (4. fabriques), etc. Le 22 mars 1841 est votée la loi interdisant le travail des enfants de moins de 8 ans.

1884 Une loi autorise la création des .... (5. associations défendant les intérêts des travailleurs).

1910 L'âge de la .... (6. fin de la vie active) est fixé à 65 ans.

1906 Une loi accorde à tous les salariés un .... (7. une suspension de travail) de 24 heures après six jours d'activité.

1936 Les .... (8. arrêts collectifs de travail) se multiplient en France. Pour ramener la paix sociale, le gouvernement Blum vote des réformes : deux semaines de .... (9. vacances indemnisées), semaine de 40 heures sans .... (10. que les rémunérations ne baissent), mise en place de .... (11. représentants des salariés).

1950 Une loi crée le Salaire minimum interprofessionnel garanti (SMIG). Cette loi garantit à chaque salarié un .... (12. salaire) minimum en fonction du budget du ménage.

1958 L'............................... (13. indemnisation en cas de perte d'emploi) est mise en place.

2000 Le temps de travail passe à 35 heures. Les salariés qui travaillent plus se voient attribuer des .... (14. journées ou des demi-journées de repos).

❯ La communication en entreprise

> Leçon **1**

2. a. Lisez le message et retrouvez les anglicismes correspondant aux définitions.

Expéditeur :	rgarrigue@gmail.com
Destinataire :	l.renoir@gmail.com
Objet :	Suite conf call

Salut Laëtitia,

Comme tu as pu le voir, je n'ai pas assisté à la dernière conf call. En fait, j'avais complètement oublié de checker mes mails ! Je suis overbooké en ce moment : j'ai une deadline à respecter avant le prochain workshop (le reporting du brainstorming sur le dernier projet publicitaire) ! Je me demande si je ne vais pas finir par faire un burn out à ce rythme-là... En tout cas, je compte sur toi pour me faire le débrief du meeting ASAP. Heureusement qu'on est corporate !
Merci.

À très vite,

Romain

PS : On se fait un after work bientôt ?

1. une conférence téléphonique réunissant plusieurs collaborateurs : . . . .

2. un séminaire de formation : . . . .

3. dès que possible : . . . .

4. débordé : . . . .

5. avoir l'esprit d'entreprise : . . . .

6. une échéance : . . . .

7. faire le point : . . . .

8. regarder, vérifier : . . . .

9. une réunion de groupe pour réfléchir ensemble sur un thème donné : . . . .

10. un apéritif entre collègues après une journée de travail : . . . .

11. un mél, un courriel : . . . .

12. un compte rendu : . . . .

13. une réunion : . . . .

14. un épuisement professionnel : . . . .

b. **Laëtitia répond à Romain. Elle le rassure, donne son impression générale sur la réunion et lui promet de tout lui raconter par téléphone. Rédigez sa réponse amicale sans anglicisme.**

Les postes et les missions

> Leçons **2** et **4**

3. a. 🎧 ▶11 **Écoutez les descriptions de poste. Associez-les à un métier de la liste. Complétez la première colonne du tableau.**

le / la graphiste • le / la responsable des relations publiques • le / la chef(fe) de produit • le / la PDG • le / la stratège des médias sociaux • le / la chef(fe) de projet • le directeur / la directrice des ressources humaines • le / la responsable informatique

b. 🎧 ▶11 **Réécoutez. Complétez la deuxième colonne du tableau.**

Métier	Verbe(s) ou expression(s) verbale(s) qualifiant la mission
1.	*avoir pour mission de, développer*
2.	. . . .
3.	. . . .
4.	. . . .
5.	. . . .
6.	. . . . , ...
7.	. . . . , ... , ...
8.	. . . . ,

4. **Proposez une description de poste pour les deux métiers suivants. Utilisez des verbes et expressions verbales de l'activité 3b.**

1. Nom de métier : commercial(e)

Vous . . . .

. . . .

2. Nom de métier : hôte(sse) d'accueil

Vous . . . .

. . . .

5. Rédigez l'offre d'emploi de la start-up Simpligo avec les informations suivantes. Adaptez votre langage au profil du candidat recherché.

Entreprise : Simpligo, start-up spécialisée dans les services informatiques pour les entreprises (visioconférence, gestion des tâches informatiques et Wi-fi).
Poste à pourvoir : chargé de communication et marketing
Mission : ancrer le positionnement de la marque, lancer de nouveaux produits, créer des publicités, mettre en place des événements, gérer le site web.
Profil du candidat : bac + 3, qualités relationnelles, autonome
Les plus : petite équipe jeune et dynamique, très beaux locaux en plein cœur de Paris, management participatif

Si toi aussi, tu rêves d'un job où tu puisses . . . .
. . . .
. . . .
. . . .
. . . .
. . . .
. . . .
. . . .

Lexique thématique du dossier 6

6. Lisez les rubriques du lexique. Complétez-les avec des mots et des expressions que vous connaissez.

L'entreprise

une multinationale
une PME (petite ou moyenne entreprise)
une start-up
une microentreprise
une usine

Les postes de travail

un(e) PDG, un(e) président(e) directeur / directrice général(e)
un(e) chef(fe) d'entreprise
un(e) directeur / directrice
un(e) entrepreneur / entrepreneuse
un(e) cadre supérieur(e)
un(e) manager
une DRH, un(e) directeur / directrice des ressources humaines
un(e) employé(e)
un(e) salarié(e)
un(e) technicien(ne)
la main-d'œuvre
un(e) ouvrier / ouvrière qualifié(e)
un(e) délégué(e) syndical(e)
un(e) représentant(e) du personnel

L'organisation du travail

gérer, diriger une entreprise
occuper un poste / une fonction
travailler à la chaîne
la hiérarchie verticale / horizontale
le management collaboratif / participatif
le télétravail ≠ le présentéisme
faire une heure supplémentaire
poser une journée de RTT (réduction du temps de travail)

La recherche d'emploi

un(e) candidat(e)
un(e) recruteur / recruteuse
un poste à pourvoir
une candidature
un entretien d'embauche
une période d'essai
postuler à un emploi
envoyer une candidature spontanée
embaucher, recruter

Les problèmes sociaux

la fermeture d'une usine
la délocalisation
la grève
le mouvement social
la crise de l'emploi
le chômage

Nous perfectionnons notre grammaire

Les compléments circonstanciels : les prépositions

7. Complétez les compléments circonstanciels avec *à* ou *de*. Faites les modifications nécessaires.

Je garde un souvenir amer de mon expérience en open space. J'arrivais de mon école de commerce, l'esprit plein d'images hollywoodiennes : c'était pour moi le lieu où l'on se fait une carrière avec des collègues si proches qu'ils comprennent vos pensées .... (1) un simple regard, des supérieurs qui ne sont éloignés que .... (2) quelques pas, etc. J'y ai en fait vécu des moments bien différents : assise .... (3) mon bureau, je devais parler .... (4) voix basse pour ne pas déranger mes collègues, aller .... (5) pas feutrés .... (6) la photocopieuse pour ne gêner personne et je tremblais .... (7) peur quand le responsable criait les objectifs du jour. .... (8) 18 heures, je rentrais .... (9) le travail .... (10) mon domicile en marchant, juste pour me calmer !

Souvenez-vous

- *À* introduit des compléments qui désignent : le lieu où l'on est ou le lieu où l'on va, la manière, le moyen, l'heure.

- *De* introduit des compléments qui désignent : le point de départ ou l'origine, la manière, la cause, la mesure (distance, durée, prix, quantité).

- *De... à...* introduisent des compléments qui désignent des limites (distance, durée, prix, quantité).

8. Complétez les phrases avec les prépositions correctes. Faites les élisions et contractions nécessaires.

Exemple : (près de / auprès de) Vous devrez déposer vos demandes de congés *auprès des* ressources humaines. Le bureau qui vous a été attribué se trouve *près des* vestiaires.

1. (face à / en face de) .... les mutations du travail, changer de carrière n'est plus un tabou.

   Juste .... les grévistes, les journalistes attendaient l'arrivée du ministre.

2. (au regard de / en regard de) Les documents à fournir pour le visa sont indiqués .... chaque critère.

   Le Canada attire les Français .... les opportunités qu'ils y trouvent.

3. (du côté de / à côté de) Juste .... la France, plusieurs pays continuent à faire rêver les Français.

   Mais pour l'aventure, c'est .... l'Amérique qu'ils regardent en général.

4. (parmi / entre) Ces temps-ci, ... le délégué du personnel et le patron, les relations sont tendues.

   Aujourd'hui, choisir .... les candidats relève d'un processus très codifié.

5. (sur / au-dessus de) La durée de la période d'essai figure .... le contrat de travail.

   Un panneau d'affichage à l'attention de tous a été installé .... la photocopieuse.

9. Remplacez les termes soulignés par une préposition de l'activité 8.

Exemple. Si l'on considère les chiffres officiels, la productivité est meilleure en France. → *Au regard des chiffres officiels, la productivité est meilleure en France.*

1. Les dossiers d'immigration sont à déposer à l'office du travail canadien.

   ....

2. Les causes de départ vers l'étranger sont peut-être à trouver dans le manque de perspectives de carrière.

   ....

3. Peu de travailleurs peuvent aujourd'hui se vanter d'avoir choisi leur travail au milieu de plusieurs offres.

   ....

4. Le management horizontal modifie l'image d'un responsable qui serait dans une position supérieure aux employés.

   ....

Le conditionnel

10. a. 🎧▸12 **Écoutez. Identifiez le temps des verbes de chaque extrait.**

Conditionnel présent : *1,* . . . .

Conditionnel passé : *1,* . . . .

b. Associez chaque extrait à une valeur du conditionnel.

Souhait : . . . . . .   Probabilité : . . . . . .

Fait imaginaire : . . . . . .   Atténuation : . . . . . .

Information non confirmée : *1*   Regret : . . . . . .

Conseil : . . . . . .   Reproche : . . . . . .

11. Reformulez les propos des salariés d'une usine. Utilisez le conditionnel.

Exemple : Notre désir est simple : garder nos postes et nos conditions de travail.

→ *Nous voudrions simplement garder nos postes et nos conditions de travail.*

1. Il paraît que les grands directeurs se réunissent ce matin afin d'évoquer un plan social.

. . . .

2. Mon seul regret : ne pas avoir été averti des difficultés de l'entreprise avant la presse.

. . . .

3. Mon usine de rêve, on y va pour le plaisir autant que pour la paye.

. . . .

4. Hier, on a eu la visite d'un concurrent, peut-être qu'il va pouvoir reprendre l'activité.

. . . .

5. Si j'ai un conseil : il faut que les salariés soient tenus au courant des négociations.

. . . .

6. Face aux difficultés, pourquoi le patron n'a pas cherché des partenariats ?

. . . .

L'expression de l'opposition, de la concession et de la restriction

12. a. Lisez les résultats d'une enquête sur le management en France. Soulignez les mots ou les expressions indiquant une opposition, une concession ou une restriction.

La perception du management

D'après une récente enquête sur la perception que les différents acteurs de l'entreprise ont du management, et bien que la situation soit globalement positive, des contradictions apparaissent tout de même selon l'ancienneté des salariés et le statut de leur entreprise.

Ainsi, quel que soit leur type, les outils de gestion modernes sont bien perçus par les plus jeunes tandis que les plus anciens pointent leur complexité. Plus précisément, si les nouveaux les jugent trop présents, les anciens les considèrent chronophages. Un paradoxe : quitte à changer les outils de travail, autant que ce soit pour augmenter l'efficacité !

L'étude révèle également l'impact de ces outils sur l'humain, et là encore les réponses divergent : même si tous le ressentent, les plus jeunes s'en accommodent, alors que les anciens le vivent comme un problème majeur.

b. Classez les expressions soulignées dans l'activité **12a**. Puis, complétez les listes avec des expressions que vous connaissez.

Verbes : *diverger*, ...

Noms : . . . .

Expressions suivies de l'indicatif : . . . .

Expressions suivies du subjonctif : . . . .

Expressions suivies de l'infinitif : . . . .

Mots de liaison : . . . .

> **Souvenez-vous**
>
> Les expressions **suivies de l'indicatif** expriment en général **une opposition** tandis que les expressions **suivies du subjonctif** expriment presque toujours **une concession** ou **une restriction**.
>
> Exceptions : *Si* et *même si* (concession), *sauf que* et *si ce n'est que* (restriction) sont suivis de l'indicatif. *Sans que* (opposition négative) nécessite le subjonctif.
> Ex. : *La productivité a augmenté <u>sans que</u> le personnel ne **fasse** d'heure supplémentaire.*

13. ⋒ ⱨ13 Écoutez d'autres résultats de l'enquête sur le management en France. Cochez la valeur de ce qui est exprimé et relevez l'expression utilisée.

	Opposition	Concession	Restriction	Expression utilisée
Exemple		✔		*tout... que*
1.				. . . .
2.				. . . .
3.				. . . .
4.				. . . .
5.				. . . .
6.				. . . .

14. Soulignez les expressions correctes.

L'université française propose peu de stages pratiques en France ou à l'étranger **quoiqu'** / **même s'**il y ait de nombreuses possibilités d'échanges universitaires. C'est pourquoi les étudiants se plaignent parfois d'un manque d'expérience « réelle », **alors qu'** / **encore qu'**ils aient souvent des expériences de petits jobs d'été. Des voies plus pratiques existent **cependant** / **au contraire**. Les BTS d'abord, une filière que l'on peut suivre en alternance ou non **sauf que** / **sans que** la valeur du diplôme soit affectée. Les licences professionnelles ensuite qui se préparent en lycée aussi **en dépit de** / **au lieu de** leur statut universitaire. Enfin, **quelque** / **bien que** déconsidéré qu'il reste, rappelons que l'apprentissage après le collège permet également d'accéder à des études supérieures une fois le baccalauréat validé.

15. À partir des informations suivantes, rédigez une opposition, une concession et une restriction. Utilisez des expressions variées des activités **12**, **13** et **14**.

Les Français bénéficient de 27 à 42 jours de congés payés et de RTT par an en moyenne. • La productivité en France est très élevée. • Le monde entier croit que les Français ne travaillent que 35 heures par semaine. • En France, il est socialement acceptable de ne pas adorer son travail. • Les Français ne sont pas les Européens qui travaillent le moins chaque semaine. • Il peut être choquant de faire passer son travail en premier.

Nous améliorons notre style

Les procédés pour rapporter des paroles : changer de point de vue

16. Lisez le texte et indiquez le type de discours.

> On prétend que l'entreprise et le travail jouent un rôle mineur dans la littérature française. Les éditeurs assurent pourtant que les auteurs sont nombreux à s'emparer de ce sujet. Marc Duplat, des éditions Jonard, commente : « Ce sont les tourments des salariés, des précarisés ou des exclus de l'emploi qui sont surtout traités. » Gérard Mordillat, fils d'ouvrier et auteur engagé, pense que la seule façon d'être écrivain est d'affronter le réel. « Il ne s'agit pas d'écrire un monde qui a renoncé aux possibilités de la lutte sociale, explique l'écrivain, mais un monde qui en ignore les possibilités. » Il est l'un des rares à clamer que la littérature est un moyen de tenter de changer le monde. En revanche, il dénonce la tendance à vouloir enfermer les auteurs dans un type de littérature en fonction de leur origine sociale. Qu'est-ce que c'est que cette manie de toujours vouloir coller des étiquettes ? Dire qu'un commentateur qualifiait récemment ses romans de romans sociaux ! Sérieusement ?! « Est-ce qu'on dit que d'Ormesson écrit des romans bourgeois et Houellebecq, des romans petits-bourgeois ? » tempête-t-il. « Dès qu'on parle du monde du travail, les commentateurs vous poussent en dehors de la création littéraire », déplore Gérard Mordillat.

  1. Type de discours : . . . .
    Procédé : citer telles quelles les paroles de quelqu'un.
    Caractéristiques : verbe introducteur de parole, ponctuation adaptée (guillemets ou tirets de dialogue).
    Intention de l'auteur : être fidèle aux propos rapportés.

  2. Type de discours : . . . .
    Procédé : reformuler les propos de quelqu'un.
    Caractéristiques : verbe introducteur de parole suivi d'une subordonnée, transformations grammaticales qui marquent le changement d'énonciation.
    Intention de l'auteur : prendre des distances vis-à-vis des propos rapportés.

  3. Type de discours : . . . .
    Procédé : associer des caractéristiques du discours indirect à celles du discours direct.
    Caractéristiques : absence de verbe introducteur de parole, marqueurs d'oralité (ponctuation), absence de guillemets ou de tirets.
    Intention de l'auteur : faire accéder directement aux pensées de quelqu'un, marquer l'implicite (l'ironie par exemple).

17. Complétez les listes avec les verbes introducteurs de parole du texte.

Déclaratifs : *affirmer*, *ajouter*, *annoncer*, ...

Exprimant des sentiments et / ou un jugement de celui dont on rapporte les paroles : *s'inquiéter*, *s'indigner*, *s'étonner*, *s'enthousiasmer*, *s'amuser*, ...

Exprimant des sentiments et / ou un jugement de celui qui rapporte les paroles : *insinuer*, *prétexter*, ...
. . . .

18. Rapportez les propos suivants. Variez les procédés et les verbes introducteurs de parole. Adaptez la ponctuation.

  1. Une éditrice : « 90 % des livres sur l'entreprise ont été publiés après 2000. »

  . . . .

  2. Un critique littéraire : « Il y en a marre de ces auteurs de la classe dominante qui écrivent sur la condition ouvrière ! »

  . . . .

  3. Un lecteur : « Enfin un livre positif et jubilatoire sur le travail ! »

  . . . .

  4. Un directeur éditorial : « Dès qu'on donne un cadre d'enquête aux romanciers, ils foncent sur le terrain avec gourmandise ! »

  . . . .

DOSSIER **7** Vague à l'âme

Nous enrichissons notre vocabulaire

L'expression des émotions et les humeurs noires > Leçon **1**

1. a. 🎧▶14 Écoutez les réactions de spectateurs à la sortie d'une salle de cinéma. Classez-les selon le thème abordé.

a. Qualité de l'adaptation cinématographique : 4, ...

b. Type de film : ....

c. Travail du réalisateur : ....

d. Jeu des acteurs : ....

b. 🎧▶14 Réécoutez. Associez chaque témoignage à une émotion et relevez le mot entendu.

	1	2	3	4	5	6
Déception	. . . .	. . . .	. . . .	. . . .	. . . .	. . . .
Admiration	. . . .	. . . .	. . . .	. . . .	. . . .	. . . .
Agacement	*énervant*	. . . .	. . . .	. . . .	. . . .	. . . .

2. Complétez chaque liste avec les synonymes suivants. Soulignez ceux qui relèvent du registre familier.

le cafard • la morosité • avoir les nerfs en pelote • en avoir ras-le-bol • être à vif • ne plus pouvoir supporter • le désenchantement • en avoir marre • une dépression • être chamboulé

1. être bouleversé, ...

2. être agacé, ...

3. être las, ...

4. un vague à l'âme, ...

5. une déprime, ...

3. a. Complétez ces déclarations de patients à leur psychothérapeute. Utilisez des expressions de l'activité 2.

1. Je ressens tellement d'ennui et de fatigue mêlés, tout est si lent, c'est toujours la même chose. Vraiment, j'éprouve une telle ....

2. Je ne comprends pas ce qui m'arrive : dès que quoi que ce soit me contrarie, j'..., j'ai l'impression que je ne peux plus rien tolérer. Je fais pourtant un tel travail sur moi-même !

3. Je rêvais d'un travail où les managers seraient à nos côtés, où la direction serait bienveillante. Je croyais l'avoir trouvé mais depuis le rachat de mon entreprise, mon .... est indéniable.

4. L'annonce de la maladie de ma mère m'a dévasté. Je sais qu'il est normal que je .... par cette nouvelle, et pourtant je sens que je ne peux y faire face seul.

5. J'ai toujours été une personne positive, mais ces derniers temps, sans aller jusqu'à parler de dépression, je sens bien que j'ai le ....

6. Chaque hiver, c'est la même chose. Avec la grisaille et les journées qui raccourcissent, je sens que la .... me gagne. Je n'arrive plus à être d'humeur légère.

b. 🎧▶15 Écoutez les réponses du thérapeute. Associez-les aux patients de l'activité 3a.

a. Patient ....   d. Patient ....

b. Patient ....   e. Patient ....

c. Patient ....   f. Patient ....

La médiation animale

4. Complétez l'article avec les mots et les expressions suivants :

apaiser • dépression • stress • motivation • bien-être • trop-plein sensoriel • remonter le moral • confiance en soi • améliorer • s'ouvrir vers les autres

La zoothérapie, c'est quoi exactement ?

Utilisée en complément des thérapies traditionnelles, la zoothérapie vise le .... (1) d'un patient. Plus précisément, elle peut .... (2) la qualité de vie, réduire le .... (3) d'une situation difficile, ... (4) en cas de dépression ou encore aider ceux qui souffrent d'isolement à .... (5). Les résultats varient selon les individus et leurs problématiques particulières. Ainsi, un chien énergique pourra redonner de la .... (6) et de la joie à une personne souffrant de .... (7), tandis qu'un lapin, par son côté doux et passif, peut aider à .... (8) les gens très angoissés. Les animaux peuvent aider les enfants autistes à se désensibiliser pour atténuer leur .... (9), ils peuvent également aider une personne à retrouver .... (10), en lui permettant par exemple de se faire obéir.

5. Associez les actions menées dans une maison de retraite au but visé.

1. Organiser des visites avec des animaux de ferme pour des pensionnaires issus du milieu rural.

2. Proposer aux pensionnaires de caresser, brosser et nourrir un animal.

3. Accueillir de manière permanente des animaux.

4. Organiser des ateliers de communication non-verbale avec un animal regroupant personnel et résidents.

5. Permettre aux résidents au tempérament solitaire de passer du temps avec un animal.

6. Proposer aux résidents de sortir un petit chien et de le faire jouer avec une balle.

a. Conserver des repères et responsabiliser.

b. Encourager les promenades et favoriser la mobilité.

c. Se remémorer un passé heureux et apaisant.

d. Redonner sa place à l'affect et faire renaître l'expression.

e. Créer un lien plus naturel entre le personnel soignant et les pensionnaires.

f. Donner à la vie en maison de retraite un aspect plus « normal » et rassurer.

Les utopies

6. Soulignez les expressions correctes dans cet article d'encyclopédie.

Utopie

Au sens premier, l'utopie désigne un pays **imaginaire / lointain** où règne un gouverneur **despotique / idéal** sur un peuple **heureux / assujetti** vivant selon **son libre-arbitre / la servitude**. Il s'agit donc d'un lieu, d'une civilisation, où les inégalités, les injustices, etc., **règneraient / n'existeraient pas**. Suivant cette définition, beaucoup estiment que **la transgression / l'organisation** de la paix universelle n'est qu'une utopie.

Parmi les différents modèles d'utopie proposés depuis le XVIᵉ siècle, nombre d'entre elles se situent sur une île inconnue ou une montagne secrète. En effet, l'isolement permet de s'affranchir des **vertus / vices** des autres civilisations et de ne pas être sous **le joug / l'influence** de quelque pays hostile.

Dans ces contrées utopiques, tout est réglé pour l**e bonheur / la résilience** de chacun, que ce soit dans **la loi / la frugalité** d'une vie simple ou dans l'abondance d'une vie opulente.

7. Indiquez à quelle thématique renvoient les propositions utopiques.

	L'individu	La politique	L'économie	L'écoresponsabilité
1. Chacun devrait choisir sa manière de vivre comme bon lui semble.				
2. Les gouvernements devraient assurer à tous des revenus suffisants.				
3. Les citoyens pourraient être choisis à tour de rôle pour participer à l'élaboration de propositions de loi.				
4. Chacun pourrait être ambassadeur d'une cause et s'y consacrer.				
5. On pourrait imaginer un système où tous les gestes écologiques seraient récompensés.				
6. Et si, en alternant, on se mettait véritablement à la place des dirigeants pour de courtes périodes ?				
7. La frugalité des besoins sera la seule réponse à la crise environnementale.				
8. Les ressources vitales ne devraient pas faire l'objet de spéculations.				

8. Choisissez une proposition de l'activité 7 et développez-la. Expliquez pourquoi et comment elle pourrait améliorer la société.

....

....

....

....

....

....

Lexique thématique du dossier 7

9. Lisez les rubriques du lexique. Complétez-les avec des mots et des expressions que vous connaissez.

Les émotions et les humeurs noires

un vague à l'âme
une perte de repères
un désenchantement
une lassitude
la morosité
être à vif
être chamboulé
avoir les nerfs à fleur de peau / en pelote
faire une / être en dépression
avoir le cafard
être morose
émouvoir quelqu'un
toucher une corde sensible
réconforter quelqu'un
remonter le moral

La médiation animale

l'anthropomorphisme
un registre émotionnel
la sensibilité
apaiser

éprouver
susciter un sentiment / une émotion

Les utopies

le libre arbitre
une vertu ≠ un vice
une contrainte
la servitude
une loi, une règle, une obligation
la frugalité (frugal(e))
la résilience (résilient(e))
être sous le joug de...

assujettir
convoiter
nuire à quelqu'un
s'affranchir de...
repousser
enfreindre
transgresser

Nous perfectionnons notre grammaire

Les adjectifs et les pronoms indéfinis

10. **a.** Lisez le billet d'opinion. Soulignez les adjectifs et les pronoms indéfinis.

Chaque lecteur a son avis sur l'adaptation des livres au cinéma. Je n'en connais pas un seul qui soit indifférent à ce sujet. Certains s'enthousiasment pour l'interprétation brillante de tel ou tel acteur quand d'autres s'agacent du manque de fidélité à l'histoire originale. Les mêmes arguments reviennent pour n'importe quel film. Mais le constat est là : les livres font des films à succès. On en connaît quelques-uns d'extraordinaires. Plusieurs ont battu des records d'entrées. L'un d'eux, *Intouchables*, a réalisé quelque 20 millions d'entrées ! Même si l'on peut retrouver divers genres dans les adaptations cinématographiques, ce sont d'abord le roman et la nouvelle qui fournissent la matière première aux longs-métrages. Il arrive qu'un livre banal devienne un film magistral mais l'inverse est vrai aussi. L'important, à mon avis, est de ne pas laisser l'adaptation de son livre aux mains de n'importe qui. Nul ne me contredira, j'espère !

b. Classez les adjectifs et les pronoms indéfinis que vous avez soulignés. Ajoutez ceux que vous connaissez.

Les adjectifs indéfinis : *chaque*, ...

. . . .

Les pronoms indéfinis : . . . .

. . . .

. . . .

Souvenez-vous

1. **Les pronoms indéfinis** indiquant **une quantité** accompagnent souvent le complément **en**.
   Ex. : *Je n'en connais pas un seul*.

2. Les pronoms indéfinis peuvent être précisés :
   • Pronoms indéfinis + *de / d'* + **adjectif qualificatif**.
   Ex. : *On en connaît quelques-uns d'extraordinaires*.
   • *Quelques-un(e)s, certain(e)s, plusieurs, l'un(e), chacun(e), aucun(e)* $\begin{cases} de + \textbf{nom} \\ d'entre + \textbf{pronom} \end{cases}$
   Ex. : *L'un d'eux a réalisé 20 millions d'entrées !*

3. *N'importe qui, n'importe quoi, n'importe comment*… marquent une indifférence qui peut être **péjorative**.

   Attention ! *quelque* (sans -*s*) + **nom** est un adverbe et signifie « environ » ou « un peu de ».
   Ex. : *quelque 20 millions d'entrées*.

11. Complétez avec un adjectif ou un pronom indéfini. Faites les accords nécessaires. Plusieurs réponses sont parfois possibles.

| ● ● ● | ◄ ► C | http://www.bienetreanimal.com | ☆ | Q |

Le développement personnel représente *quelque chose* d'important dans la société actuelle. Je dirais même qu'il n'a jamais connu un . . . . (1) engouement. . . . . (2) des livres présents sur cette étagère est consacré au sujet. Vous pouvez lire . . . . (3) . Personnellement, j'en ai lu . . . . (4) . . . . (5) sont très instructifs, ... (6) moins. (7) n'ignore le proverbe : « Ne fais pas à . . . . (8) ce que tu n'aimerais pas que l'on te fasse. » C'est sur cette règle d'or que le débat sur la cause animale s'est ouvert hier. . . . . (9) questions ont été soulevées lors du débat dont . . . . (10) ont suscité des huées du public.

12. Répondez aux questions avec les adjectifs et les pronoms indéfinis proposés.

1. Avez-vous déjà consulté des ouvrages de psychologie positive ? Qu'en pensez-vous ? (quelques-uns – certains… d'autres…)

....

2. À qui peut profiter la médiation animale ? (tel(le)(s) – quiconque)

....

3. Qu'est-ce que le bonheur pour les habitants de votre pays ? (les uns… les autres…)

....

4. Avez-vous testé des thérapies pour combattre la déprime saisonnière ? (divers(e)(s) – pas un(e) seul(e))

....

Le subjonctif (2)

13. 🎧▸16 **a.** Écoutez les réponses à l'enquête « Que proposez-vous pour créer une société idéale ? » Cochez les valeurs exprimées.

	Nécessité / Obligation	Souhait / Volonté	Ordre	Permission / Interdiction	Conseil / Proposition	Intention / But
Exemple		✔	✔			
1.						
2.						
3.						
4.						
5.						
6.						

b. 🎧▸16 **Réécoutez. Classez les formes verbales des réponses de l'enquête selon la valeur du subjonctif.**

Nécessité / Obligation : ....

Souhait / Volonté : *ai envie que,* ....

Ordre : *ordonne que,* ....

Permission / Interdiction : ....

Conseil / Proposition : ....

Intention / But : ....

> **Souvenez-vous**
>
> **Attention !**
> ● Les verbes sont suivis directement de l'infinitif ou de *de* + infinitif si le sujet est le même.
> Ex. : *Nous refusons **de soutenir** une société qui ne respecte pas les différences.*
> ● Le verbe **espérer** est suivi de l'**indicatif**.
> Ex. : *J'espère que cette société **existera** un jour.*

14. Transformez les phrases comme dans l'exemple.

Exemple : Nous devons éduquer les enfants avec les principes de la psychologie positive, la directrice y tient.
→ *La directrice tient à ce que nous éduquions les enfants avec les principes de la psychologie positive.*

1. Le bonheur devient une marchandise comme une autre, nous ne pouvons pas le tolérer.

....

2. L'arrivée des congés a pour conséquence l'abandon massif des animaux de compagnie, il faudrait l'empêcher.

....

3. La loi doit prendre en compte la sensibilité animale, nous l'exigeons !

....

4. La morosité envahit trop nos collègues, j'aimerais éviter cela.

....

5. Dans notre communauté, chacun doit vivre en harmonie avec la faune et la flore, nous y veillons vraiment !

....

6. Notre chef d'établissement devrait reconnaître les bienfaits d'animaux médiateurs en classe, voilà ce que je suggère.

....

....

15. Répondez à la question de l'enquête de l'activité 13a. Faites cinq propositions. Utilisez les verbes et expressions suivants : *avoir envie que*, *refuser que*, *exiger que*, *faire en sorte que*, *l'idéal serait que*.

1. ....

2. ....

3. ....

4. ....

5. ....

Construction de la phrase complexe (2) : principale/subordonnée, juxtaposition, coordination

16. Soulignez les éléments corrects.

La pensée positive est un modèle **dans l'enseignement, le management et la parentalité** / **dans l'enseignement, le management, la parentalité.** Elle cherche **à valoriser les émotions positives** / **la valorisation des émotions positives. Parce que / En effet**, se concentrer uniquement sur les problèmes freine le développement personnel. **Et / De plus**, cela contribue à l'isolement des personnes. **Mais / Or**, on sait que pour être épanoui, il convient d'être engagé dans nos relations aux autres.

17. Reformulez les énoncés en supprimant le plus de répétitions possibles. Utilisez la virgule ou *et*.

Exemple : Il s'intéresse à ce problème, il veut résoudre ce problème.
→ *Il s'intéresse à ce problème et veut le résoudre.*

1. Les membres de la commission demanderont leur avis aux vétérinaires. Ils demanderont son avis au ministre de l'Agriculture. Ils demanderont leur avis aux membres de la Société protectrice des animaux.

....

2. La déprime saisonnière, c'est ce dont nous avons décidé de parler, c'est ce que vous avez peut-être déjà vécu.

....

3. Le philosophe a élaboré sa théorie sur la pensée utopique, il a expliqué sa théorie sur la pensée utopique.

....

4. Ceux qui vivent dans une grande ville ou près d'une grande ville sont plus enclins à développer des formes de stress.

....

Nous améliorons notre style

L'ironie dans tous ses états

18. a. Lisez les extraits et cochez les interprétations correctes.

1. De loin, mon père regardait son voisin s'approcher, celui contre lequel il en était à son troisième procès. Il parlait toujours de lui dans les mêmes termes, un homme si sympathique, qui était d'une compagnie si agréable, dont les actions étaient chaque fois si bien menées. Bref : un homme qu'il adorait.

   Le narrateur décrit un homme : ☐ admirable   ☐ détestable.

2. Le procès était passé, le verdict était tombé. Je pouvais entendre la voix de mon frère lorsqu'il avait pu m'appeler pour la première fois, il voulait me préserver de toute inquiétude et me décrivait ce lieu de détention comme une suite tout confort, aux grands volumes et à la luminosité incomparable.

   Il s'agit de la description : ☐ d'un appartement confortable   ☐ d'une prison.

3. Il fut vraiment courageux dans sa jeunesse, il laissa toujours les questions sensibles aux autres !

   Il a fait preuve : ☐ de lâcheté   ☐ de courage.

4. Sa mère est une vraie philanthrope, j'en ai la preuve : si elle doit choisir entre aider un animal ou un être humain, elle choisit systématiquement l'animal.

   Cette femme est : ☐ philanthrope   ☐ misanthrope.

5. Il n'y a rien à dire, quand on voit sa salle d'attente vide, on ne peut que se dire que c'est un médecin efficace et réputé.

   Le médecin : ☐ inspire confiance   ☐ peut rendre méfiant.

b. Parmi les intentions suivantes, soulignez celles qui ont motivé l'écriture des extraits.

faire rire aux dépens de quelqu'un • critiquer • s'amuser • mettre en avant • se moquer • idéaliser • caricaturer • valoriser • surestimer • dévaloriser

19. a. Pour rendre les propos ironiques, on utilise principalement quatre figures de style. Associez chacune d'elles à une phrase.

Une antiphrase : on dit le contraire de ce que l'on pense.

Un euphémisme : on atténue une expression qui peut déplaire ou choquer.

Un oxymore : on rapproche deux mots de sens contraire.

Une hyperbole : on exagère pour souligner une idée.

1. Tu as abandonné ton animal avant l'été. Bravo ! Beau comportement !

2. Ce garçon est un monument de prétention.

3. L'adaptation de ce livre est un magnifique ratage.

4. Il a dépensé tout son héritage en séances de développement personnel, il s'est laissé quelque peu emporter…

b. 🎧17 L'ironie est également perceptible à l'oral. Écoutez les phrases et relevez les mots mis en relief par l'intonation.

1. ....

2. ....

3. ....

4. ....

20. a. Complétez cette critique du développement personnel. Utilisez au minimum une antiphrase, un euphémisme, un oxymore et une hyperbole.

Entre Internet, la télévision, la radio, les magazines plus ou moins spécialisés, il est certain que personne n'a entendu parler du développement personnel. ....
....
....
....
....

b. Enregistrez la critique en insistant sur les éléments qui permettent de comprendre votre ironie.

DOSSIER **8** D'innombrables langues françaises

Nous enrichissons notre vocabulaire

L'expression littéraire

> Leçons **1** et **3**

1. a. 🎧⏵18 Écoutez les commentaires de lecteurs et associez-les à l'aspect de l'écriture dont ils parlent. Attention il y a trois intrus.

a. redonner ses lettres de noblesse à quelque chose : ......

b. les figures de style : ......

c. perpétuer une langue : ......

d. travailler sur sa mémoire : ......

e. retracer la mémoire de quelqu'un : ......

f. la prolixité : ......

g. les tournures : ......

h. une prouesse : ......

b. Remplacez les expressions par un aspect de l'écriture non sélectionné de l'activité **1a**.

1. Écrire une autobiographie requiert de .... (une véritable investigation de ses souvenirs).

2. C'est grâce à .... (l'usage des mots, de leur sens et de leur sonorité) que cet auteur parvient à faire ressurgir le monde de son enfance.

3. Son style si particulier tient davantage à .... (sa manière d'assembler les mots) qu'au lexique qu'il emploie.

Les langues et la francophonie

> Leçons **1** et **2**

2. a. Associez les expressions soulignées dans l'article aux définitions.

L'origine du créole des Antilles

À l'origine, il régnait dans les colonies du Nouveau Monde la plus grande _cacophonie_ linguistique. On y entendait de multiples _idiomes_ : autochtones, européens et ouest-africains. Une _langue véhiculaire_ était indispensable pour communiquer et échanger. C'est ainsi qu'est née une première langue mêlée, le « baragouin », que l'on retrouve dans le verbe familier « _baragouiner_ », c'est-à-dire parler une langue étrangère de manière incorrecte et incompréhensible. Peu après est né le _créole_ des Antilles, la langue parlée par la première génération née dans ces îles, et dont les caractéristiques actuelles sont le reflet de l'histoire. En effet, les esclaves amenés d'Afrique parlaient des langues très diverses et dont l'usage était prohibé par les maîtres. Ceux-ci veillaient d'ailleurs à ne pas regrouper de _communauté linguistique_, évitant de ce fait les révoltes. Les jeunes esclaves ne devaient donc acquérir la langue des maîtres que pour saisir les ordres. Ainsi s'approprièrent-ils _vocabulaire_ et _sonorités_, qu'ils intégrèrent peu à peu à leurs langues d'origine. Aujourd'hui, on définit le créole des Antilles françaises comme une langue constituée de mots de diverses origines mais possédant une _syntaxe_, une _grammaire_ et une _conjugaison_ propres aux langues d'Afrique de l'Ouest.

Exemple : Mélange discordant de voix ou de sons : _une cacophonie_

1. Groupe de personnes parlant la même langue : ....

2. Langue née du contact entre une langue de colonisation et d'autres langues : ....

3. Ensemble des règles pour parler et écrire correctement : ....

4. Langue ou dialecte propre à une région ou à un groupe social : ....

5. Mal parler : ....

6. Ensemble des formes verbales : ....

7. Relations entre les mots d'un énoncé : ....

8. Ensemble de mots : ....

9. Langue servant à la communication entre divers groupes linguistiques : ....

10. Ensemble des caractères des sons d'une langue : ....

b. Soulignez les expressions à connotation péjorative dans les réponses de l'activité **2a**.

3. Complétez l'article sur l'origine de l'Organisation internationale de la Francophonie avec les mots suivants :

~~francophonie~~ • enrichissement • promouvoir et diffuser • Charte de la Francophonie • rapprochement • dialogue • espace linguistique • institutions francophones • colonialisme • coopération

Qu'est-ce que l'OIF ?

Le terme « *francophonie* » est apparu à la fin du xix\ siècle et a acquis son sens commun lorsque des francophones ont pris conscience de l'existence d'un .... (1) partagé, propice aux échanges et à l'.. (2) mutuel.

À partir des années 1960, des .... (3) intergouvernementales voient le jour, puis la future Agence universitaire de la Francophonie, l'un des opérateurs spécialisés de la Francophonie, est créée. En 1995, la .... (4) est adoptée au titre de principal texte de référence, permettant de mettre en lumière le rôle de chaque entité. Léopold Sédar Senghor, poète et ancien président du Sénégal, a déclaré : « Dans les décombres du .... (5), nous avons trouvé cet outil merveilleux, la langue française. » Là s'exprime la philosophie des pères fondateurs de la Francophonie institutionnelle : mettre à profit le français au service de la solidarité, du développement et du .... (6) des peuples par le .... (7) entre les civilisations. C'est ainsi que fut créée le 20 mars 1970 l'Agence de coopération culturelle et technique qui allait plus tard devenir l'Organisation internationale de la Francophonie. Fondée autour du partage d'une langue commune, elle était chargée de .... (8) les cultures de ses membres et d'intensifier la .... (9) culturelle et technique entre eux.

4. Entourez l'expression correcte.

1. Dans le domaine de la diplomatie, il est de coutume d'éviter de **définir de manière étriquée** / **pointer du doigt** le régime politique d'un État.

2. Lors du dernier scrutin, l'opposition a encore une fois accusé le vainqueur des urnes d'avoir **truqué** / **bidouillé** l'élection.

3. Ayant publiquement annoncé son soutien à l'un des candidats, un diplomate a suscité **l'indignation** / **l'interaction** de la classe politique.

4. La coopération technique entre les pays peut être **l'accointance** / **le vecteur** d'une coopération culturelle plus profondément ancrée.

5. En inscrivant plusieurs dialectes à la liste des langues officielles, le gouvernement cherche à **redonner leurs lettres de noblesse aux particularismes régionaux** / **pérenniser les particularismes régionaux**.

6. Si l'on a **politisé** / **restreint** la question de l'enseignement du français à l'école, c'est à cause des élections qui approchent.

La communication orale

> Leçon **4**

5. a. Associez les difficultés rencontrées lors de prises de parole en public aux conseils adaptés.

1. Je n'ose pas m'exprimer en public.

2. Les contradicteurs me déstabilisent.

3. On qualifie souvent mes interventions de trop sérieuses.

4. Je parle d'un sujet grave, je veux vraiment attirer l'attention de l'auditoire.

5. Je ne sais pas comment intéresser tout l'auditoire, quels que soient les âges ou les origines socioculturelles ?

6. J'ai parfois l'impression que certains s'endorment pendant mes présentations.

7. On dirait qu'une partie de l'auditoire n'arrive pas à me suivre.

a. Passer par tous les registres vous permettra de capter l'attention.

b. Il faut vaincre votre timidité.

c. Vous devez améliorer votre répartie.

d. Si vous ralentissez votre débit, on pourra mieux vous comprendre.

e. Essayez de varier le ton, votre discours sera moins monotone.

f. Avec une formule choc, nul ne pourra ignorer votre propos.

g. Faites un trait d'humour, cela détendra l'auditoire !

b. Imaginez deux autres difficultés. Proposez des conseils adaptés.

1. Problème : ....

   Conseil : ....

2. Problème : ....

   Conseil : ....

6. Présentez l'une des difficultés de l'activité **5a**, que vous avez déjà rencontrée. Expliquez quelles techniques vous utilisez pour vous améliorer.

Lors d'une présentation orale face au public, il m'est arrivé de ......
....
....
....
....
....
....

Lexique thématique du dossier 8

7. Lisez les rubriques du lexique. Complétez-les avec des mots et des expressions que vous connaissez.

Les langues et la francophonie

enrichir / défendre / perpétuer une langue
un anglicisme
un emprunt
disposer / se servir d'une langue
une langue nationale / régionale
une langue véhiculaire
un patois
la colonisation, la décolonisation
la coopération culturelle / technique
une communauté linguistique
une transmission
une reconquête des valeurs
redonner ses lettres de noblesse à quelque chose
pérenniser la grandeur de
le vocabulaire
la syntaxe
un lexique
un registre
la prononciation
le débit
un accent
une sonorité
un rythme
la prolixité
une figure de style (une métaphore)
la tournure

L'expression littéraire

une autobiographie
la mémoire de qqn/qqch
scruter dans sa mémoire
travailler sur sa mémoire
retracer une histoire
être marqué(e) par
embellir

La communication orale et l'éloquence

prendre la parole en public
un auditoire
une joute verbale
vaincre sa timidité
ménager un silence, hausser le ton
accélérer / ralentir le débit
avoir de la répartie
varier le ton
un ton lent / rapide / fort / doux / drôle / grave
passer par tous les registres
un slogan
une formule choc
une formule finale
un trait d'humour
une question oratoire

Nous perfectionnons notre grammaire

Gérondif, participe présent et adjectif verbal

8. Lisez les trois témoignages. Complétez les emplois du participe présent, du gérondif et de l'adjectif verbal avec les exemples en gras dans les témoignages.

« Ma langue maternelle me **cloisonnant** dans un mode de réflexion, je me suis tournée vers le français comme langue d'écriture. **Provoquant** des émotions intenses en moi, la langue française me permet de réinventer mon existence **tout en allant** plus loin dans le processus créatif. Certes, l'écriture en français est plus **fatigante**, plus **contraignante** aussi mais je ne pense pas que j'aboutirais au même résultat en japonais. »

Yoko, romancière

« Les poètes **choisissant** le créole prônent une forme de militantisme sans que cela ne soit **provocant**. **Sachant** que les langues **dominantes** sont l'anglais et le français, la poésie créole apparaît comme un acte de résistance. J'ai pris conscience de l'importance de l'expression créole **en lisant** des articles sur la langue des esclaves. **En rendant** ses lettres de noblesse au créole, nous souhaitons rendre hommage à nos ancêtres. En Haïti, les librairies **consacrant** des rayons entiers à la poésie créole sont nombreuses. Le mouvement **s'intensifiant**, un festival de poésie créole sera organisé l'année prochaine. »

Georges, poète

« **Répondant** à la question d'un journaliste sur la traduction littéraire, j'ai réaffirmé mon plaisir à pouvoir rendre le style et la verve d'un auteur dans ma langue. Évidemment, c'est **en restant** fidèle au texte initial et **en ne se prenant pas** pour un auteur que l'on offrira la meilleure traduction. **Tout en traduisant**, certains réinventent le texte d'origine. Selon moi, c'est une erreur. »

Léon, traducteur

1. Le participe présent :

— remplace une subordonnée relative introduite par *qui* : *choisissant*, ...

— exprime la cause : ...., ..., ...

— exprime la simultanéité : ....

2. Le gérondif :

— exprime la simultanéité : ....

— exprime la manière : ....,

— exprime la condition : ...., ...

— exprime l'opposition : ....

3. L'adjectif verbal, formé sur le participe présent :

qualifie un nom avec lequel il s'accorde en genre et en nombre : ...., ...,

........................., ...

Souvenez-vous

● Certains adjectifs verbaux **changent d'orthographe**.
Ex. : *provoquant* [participe présent] / *provocant(e)(s)* [adjectif]; *fatiguant / fatigant(e)(s)* ; *convainquant / convaincant(e)(s)* ; *différant / différent(e)(s)* ; *précédant / précédent(e)(s)* ; *négligeant / négligent(e)(s)* ; *communiquant / communicant(e)(s)*, etc.

● On utilise *tout* devant le gérondif :
— pour insister sur la durée
Ex. : *La langue française me permet de réinventer mon existence* **tout** <u>en allant</u> *plus loin dans le processus créatif.*
— pour renforcer une contradiction.
Ex. : *Tout* <u>en traduisant</u>, *certains réinventent le texte d'origine.*

9. **Reformulez les phrases avec un participe présent ou un gérondif.**

Exemple : En même temps qu'elle célèbre la langue française, la semaine de la francophonie met à l'honneur l'interculturalité.

→ *Tout en célébrant la langue française, la semaine de la francophonie met à l'honneur l'interculturalité.*

1. Comme les dialectes et les patois disparaissent peu à peu, toute une culture régionale se meurt.

. . . .

. . . .

2. Bien qu'il parle le langage de ses parents teinté d'argot et d'expressions populaires, Marco dévore les auteurs francophones et rêve de devenir un grand écrivain.

. . . .

. . . .

3. Yanick Lahens qui baigne dans la littérature haïtienne depuis sa jeunesse va inaugurer la nouvelle chaire « mondes francophones » au Collège de France.

. . . .

. . . .

4. J'ai pris conscience de la richesse de la langue française au travers de la lecture d'auteurs francophones de pays différents.

. . . .

. . . .

10. a. 🎧▶19 **Écoutez cinq affirmations sur un concours d'éloquence. Cochez ce que vous entendez.**

	Exemple	1.	2.	3.	4.	5.
Adjectif verbal						
Participe présent	✔					

b. 🎧▶19 **Réécoutez. Écrivez l'adjectif verbal ou le participe présent entendu.**

Exemple : *différant*

1. ....

2. ....

3. ....

4. ....

5. ....

11. **Enrichissez les phrases avec les indications entre parenthèses.**

Exemple : (manière) Il a écrit un poème. → *Il a écrit un poème en intégrant des mots empruntés à différentes langues.*

1. (cause) Les langues régionales redeviennent tendance !

→ . . . .

. . . .

2. (simultanéité) L'Organisation internationale de la Francophonie fait la promotion du français.

→ . . . .

. . . .

3. (subordonnée relative introduite par *qui*) Les enfants ont plus de facilités à apprendre d'autres langues étrangères.

→ . . . .

. . . .

4. (concession) La francophonie véhicule certains stéréotypes.

→ . . . .

. . . .

12. 🎧▶20 **Écoutez les commentaires. Complétez le tableau en indiquant le numéro du commentaire correspondant aux indications.**

Combinaisons	Sens	n°
L'hypothèse concerne le passé		
a. *Si* + plus-que-parfait + conditionnel présent	L'action ne peut pas se réaliser.	5
b. *Si* + plus-que-parfait + conditionnel passé	L'action n'a pas pu se réaliser.	......
c. *Si* + passé composé + présent	La condition a une conséquence sur le présent.	......
d. *Si* + passé composé + futur / impératif	La condition a une conséquence sur le futur.	......
L'hypothèse concerne le présent		
e. *Si* + imparfait + conditionnel présent	L'action n'est pas réalisable.	......
f. *Si* + imparfait + conditionnel passé	L'action n'a pas pu se réaliser.	......
L'hypothèse concerne le futur		
g. *Si* + présent + futur / impératif	L'action est réalisable.	......
h. *Si* + imparfait + conditionnel présent	L'action est peu réalisable.	......

Souvenez-vous

• Quand il y a **deux conditions exprimées**, on emploie généralement *que* + **subjonctif** dans la deuxième subordonnée.
Ex. : *Si nous avions écouté le discours de Mabanckou et **que** nous **ayons adhéré** à son point de vue, nous comprendrions les raisons de son refus.*

• *Si* + *il* = *s'il*.

13. Complétez les phrases en conjuguant les verbes au temps correct. Aidez-vous des informations concernant le sens.

Exemple : Si nous *empêchions* l'entrée de néologismes dans les langues, celles-ci n'*évolueraient* plus et *se figeraient* dans le temps. *(Nous ne l'empêchons pas donc les langues évoluent et ne se figent pas.)*

1. S'il .... (maîtriser) l'éloquence et la rhétorique, un orateur .... (avoir)

   toutes les chances de convaincre son auditoire lors d'une présentation.

   (C'est certain à condition que l'orateur maîtrise l'éloquence et la rhétorique.)

2. Si l'esperanto .... (être enseigné) largement au moment de sa création, l'anglais

   .... (occuper) probablement une place moins importante dans les échanges internationaux.

   (L'esperanto n'a pas été enseigné largement et l'anglais occupe une place importante.)

3. Edgar .... (s'inscrire) au concours d'éloquence qui a eu lieu la semaine dernière s'il

   .... (être) moins timide et qu'il .... (faire preuve de) plus de courage.

   (Il est timide et peu courageux.)

4. Si vous .... (participer) à notre atelier de slam lors de notre dernier stage, vous

   .... (apprécier) celui sur la poésie urbaine à la session suivante !

   (Vous n'y avez pas participé.)

14. Écrivez des hypothèses à partir des situations.

Exemple : Nous parlons tous la même langue. → *Si nous parlions tous la même langue, il y aurait moins de diversité de points de vue et les discussions seraient moins riches.*

1. On vous a interdit de parler votre langue et on vous en a imposé une autre.

   ....

2. Vous êtes chargé(e) d'une réforme pour simplifier la langue française.

   ....

Nous améliorons notre style

> Bien choisir ses mots pour raccourcir des phrases et condenser des idées

15. Lisez les témoignages des participants au concours national d'éloquence. Reformulez-les comme demandé. Attention : la reformulation peut conduire à des modifications importantes dans la structure de la phrase.

Geoffrey : « Du début à la fin, c'est une sensation d'être immergé. À ma plus grande surprise, dès que je suis arrivé, j'ai constaté l'effacement des régionalismes et le fait que les participants ont commencé à se rapprocher. »

Laïs : « Lors des concours d'éloquence, qu'il s'agisse de débats, d'éliminatoires face au jury ou de joutes verbales, on a toujours une occasion de faire connaissance avec quelqu'un, d'apprendre des choses, de découvrir des particularités régionales, d'observer de nouvelles techniques. »

Joris : « Le concours national présente des caractéristiques différentes d'autres concours régionaux. Grâce à ma première participation à Aix-en-Provence, j'ai réalisé que j'avais un goût prononcé pour la prise de parole en public. »

Romane : « Le fait que j'aie été qualifiée pour participer à ce concours était déjà une victoire pour moi et même si je n'ai pas eu la chance de remporter un prix, cette expérience reste gravée pour toujours dans ma mémoire. »

Naïla : « Ce que j'ai découvert lors de ce concours, c'est le public. J'avais déjà eu un public dans une compétition locale, bien sûr. Mais les spectateurs au niveau national sont encore plus investis ! Et puis nous recevons tellement d'énergie de cet auditoire ! »

1. Dans le témoignage de Geoffrey, soulignez les trois expressions verbales signifiant « immersion », « mon arrivée », et « un rapprochement ». Puis réécrivez son témoignage avec ces trois nominalisations.

. . . .

. . . .

2. Dans le témoignage de Laïs, soulignez les expressions correspondant à « un face-à-face » et encadrez les expressions correspondant à « un enrichissement ». Puis reformulez son témoignage avec ces deux mots génériques.

. . . .

. . . .

3. Reformulez le témoignage de Joris en utilisant deux verbes mieux adaptés : « différer » et « révéler ».

. . . .

. . . .

4. Dans le témoignage de Romane, soulignez les trois expressions exprimant « ma sélection », « ma défaite » et « inoubliable ». Réécrivez son témoignage avec ces trois mots.

. . . .

. . . .

5. Dans le témoignage de Naïla, soulignez les quatre noms qui désignent le même groupe de personnes. Réécrivez son témoignage en une seule phrase complexe.

. . . .

> **Souvenez-vous**
>
> Pour raccourcir des phrases ou condenser des idées, on utilise : **la nominalisation** (item 1), **des termes génériques** (item 2), **des verbes adaptés** (item 3), **des mots précis** (item 4) ou **des phrases complexes** (item 5).

DOSSIER **9** Ère numérique

Nous enrichissons notre vocabulaire

Internet et les réseaux sociaux
> Leçons **1**, **2**, **3** et **4**

1. Lisez les témoignages. Entourez le mot correct.

1. Je n'ai jamais souhaité m'inscrire sur **une plateforme** / **un réseau social**. J'aime avoir des contacts réels et les échanges virtuels ne m'attirent pas.

2. Ce qui me surprend le plus est la capacité qu'ont certains influenceurs à avoir plus d'un million de **followers** / **lecteurs**, cela reste totalement mystérieux pour moi.

3. J'ai toujours cru que les **posts** / **tweets** n'avaient aucun intérêt littéraire, jusqu'à ce que je découvre ceux de mon autrice préférée. La qualité peut tenir en peu de mots !

4. Je ne publie que très peu sur Facebook, j'y **transfère** / **partage** en revanche tout ce qui me semble important à savoir.

5. Ce qui me rend méfiant, ce sont toutes ces publicités ciblées qui viennent s'insérer sur **mon fil d'actualité** / **ma plateforme**, je me sens un peu observé mais surtout manipulé.

6. Peut-être qu'il faudrait que je change de moteur de recherche si je veux échapper à **la collecte de données** / **l'historique de navigation**.

2. a. Lisez l'article et associez le préfixe des mots en gras à leur signification.

> L'ère numérique est une période **extraordinaire**, laissez-moi vous expliquer pourquoi : nous sommes tous devenus des citoyens du web, que l'on soit **hyperconnecté** ou super méfiant, nous connaissons tous ce monde virtuel. Qui n'a jamais eu recours à un **téléchargement** ? Qui ne s'est jamais interrogé sur ces étranges unités de mesure, le byte puis le **mégabyte** ? Pourtant, malgré cette familiarité, les craintes sont toujours plus nombreuses. On connaît le vol de données, la surveillance, la **cybercriminalité**, mais il y a pire encore : le passage du numérique à une intelligence artificielle destructrice ainsi que les thèses du **transhumanisme** et de certaines **pseudosciences** qui voudraient créer les **métahumains** des *comics* américains.

1. extra-   •   •   a. qui va au-delà
2. hyper-   •   •   b. un million de
3. télé-   •   •   c. qui sort de
4. pseudo-   •   •   d. excessivement
5. cyber-   •   •   e. qui dépasse
6. méga-   •   •   f. propre aux réseaux de communication numérique
7. trans-   •   •   g. à distance
8. méta-   •   •   h. faux / fausse

b. Écrivez la définition des mots suivants.

1. l'hypercontrôle : . . . .

2. une téléconférence : . . . .

3. extralégal(e) : . . . .

4. métaphysique : . . . .

5. un mégaoctet : . . . .

6. transnational(e) : . . . .

7. un pseudonyme : . . . .

8. la cyberculture : . . . .

3. 🎧 ▶21 **Écoutez et identifiez de quel anglicisme parlent les spécialistes.**

    a. un community manager → ....

    b. un tweet → *1*

    c. un follower → ....

    d. un teasing → ....

    e. un profiling → ....

    f. un tracking → ....

    g. un cookie → ....

    h. un think tank → ....

    i. un storytelling → ....

La cybersécurité

> Leçon **2**

4. **Remplacez les expressions entre parenthèses par un mot de la liste. Faites les accords et les élisions nécessaires.**

l'usurpation d'identité • l'escroquerie • le cyberharcèlement • la cyberdépendance • le chantage • la diffamation • l'authentification • le traçage

---

http://www.laquadratureduweb.fr

Un surf risqué ?

La cybercriminalité fait régulièrement parler d'elle et justifie toujours plus de protections pour la navigation, privée ou professionnelle. Bien sûr, on a tous entendu parler de ces grandes entreprises victimes de .... (1. demandes de rançon), ou d'.......................... (2. fausses opérations marchandes ou bancaires). Certains spams que nous recevons au quotidien nous montrent également combien .... (3. l'appropriation de nom de quelqu'un) est fréquente. Enfin, les faits divers recèlent de nombreux cas de .... (4. manœuvres de dénigrement) et de .... (5. actes malveillants et répétés ayant pour but de nuire) plus ou moins agressifs. S'il est sûr que statistiquement, les risques d'être victimes de ces actes malveillants sont faibles, n'oublions pas ce qui nous menace tous : .... (6. l'addiction à des pratiques en ligne) et .... (7. le suivi de nos mouvements en ligne et l'utilisation personnelles de nos données à des fins commerciales). Il nous faut donc rester vigilants et tout faire pour que .... (8. les vérifications de nos connexions) soient les plus fortes.

S'informer sur Internet

> Leçon **3**

5. **Complétez les conseils aux parents avec les expressions de la liste. Faites les accords nécessaires et conjuguez les verbes.**

esprit critique • décryptage • croiser • presse • farfelu • angle de traitement • vérification des faits • amalgame • fiabilité

CONSEILS AUX PARENTS

❶ Faites-leur découvrir la .... pour enfant, qui explique l'actualité simplement et qualitativement, bien loin des rumeurs ou des .... qui stigmatisent certains.

❷ Aidez-les à exercer leur .... : repérer une actualité .... peut être l'occasion de se demander pourquoi son auteur l'a publiée : pour rire, faire de la publicité, nuire ?

❸ Menez l'enquête : .... une information sur un fait divers, en observant l'.......................... des différents médias ou en utilisant un décodeur comme le Décodex du journal *Le Monde*, moteur de recherche et de vérification de la .... des sources.

❹ Si vous voulez leur apprendre à distinguer une publicité d'une opinion, le .... d'image peut aussi être une activité ludique, en complément de la .... pour les seules informations.

Le transhumanisme

6. a. 🎧 H22 **Écoutez les extraits de romans de science-fiction. Cochez le sujet transhumaniste évoqué.**

	1.	2.	3.	4.	5.	6.
L'intelligence artificielle						
Le rajeunissement						
L'accroissement de l'intelligence						
L'immortalité						
La modification de l'état psychique						
Le téléchargement de l'esprit						

b. Choisissez un sujet transhumaniste et expliquez en quoi cette évolution modifierait la vie quotidienne.

....
....
....
....
....
....
....
....
....
....

Lexique thématique du dossier 9

7. Lisez les rubriques du lexique. Complétez-les avec des mots et des expressions que vous connaissez.

Internet et les réseaux sociaux

un réseau social
un moteur de recherche
une plateforme
un tweet, un retweet
un *hashtag*
un cercle (sur Google +)
une épingle (sur Pinterest)
un partage
un commentaire
un *teasing*
un fil d'actualité
taguer
identifier
suivre le fil de sa pensée
jouer avec les codes
diffuser une idée
faire le buzz
un compte d'auteur(-trice)
un *follower*
un *community manager*

La sécurité sur Internet

gérer son profil numérique / son image / ses données personnelles
une identité numérique
un pseudonyme
l'anonymat
une (double) authentification
la collecte de données
la surveillance collective
un historique personnel de navigation
l'utilisation des données personnelles
la reconnaissance faciale
le profilage
le traçage
la publicité ciblée
une activité malveillante
une escroquerie
une usurpation d'identité
le cyberharcèlement
la diffamation
la cybercriminalité
un(e) cybercriminel(le)
détourner une photo

La désinformation

une *fake news*
une infox
un angle éditorial orienté
un amalgame
un non-dit
un mensonge par omission
le filtrage
le *fact-checking*

Le transhumanisme

l'immortalité
le rajeunissement
l'accroissement de l'intelligence
la modification de l'état psychologique
l'abolition de la souffrance
le téléchargement de l'esprit
une puce
un implant, implanter

Nous perfectionnons notre grammaire

> ## Le discours rapporté au passé

8. a. 🎧 🔊23 **Écoutez un intervenant en éducation aux médias qui rapporte ses échanges avec des jeunes lors d'un atelier. Complétez les échanges au discours direct avec le verbe au temps correct.**

Les organisateurs de l'atelier : « Vos informations personnelles *peuvent* facilement être déviées de leur contexte.
Il .... (1) que vous .... (2) comment vous protéger.
.... (3) confiance à des personnes inconnues sur Internet. »

Une jeune fille : « J'............................... (4) victime de cyberharcèlement à la suite d'une mauvaise rencontre sur Internet. »

Un garçon : « Je n'............................... (5) pas conscience de l'importance du droit à l'image jusqu'à aujourd'hui parce que je n'............................... jamais .... (6) à un tel atelier.
Je .... (7) de comprendre à quel point ce droit est fondamental. À partir de maintenant,
je .... (8) la photo de mes amis sur Snapchat uniquement quand je leur .... (9) l'autorisation. »

Tous les participants : « Nous .... (10) nous montrer plus vigilants concernant notre image et celle des autres sur les réseaux sociaux. .... (11)-vous organiser des ateliers similaires durant l'année ? »

b. Complétez le tableau de la concordance des temps.

Discours direct →	Discours indirect
1. présent	....
2. passé composé	....
3. imparfait	....
4. plus-que-parfait	....
5. passé récent	....
6. futur simple	....
7. futur antérieur	....
8. futur proche	....

> ## Souvenez-vous
>
> **Attention !**
> • Les modes conditionnel et subjonctif ne changent pas.
> **Ex. :** « *Il faut que vous **sachiez** comment vous protéger.* » → *Nous leur avons principalement expliqué qu'il fallait qu'ils **sachent** comment se protéger.*
> • L'impératif est remplacé par *de* + infinitif.
> **Ex. :** « *Faites-le !* » → *Il nous a demandé **de le faire**.*

9. Écrivez l'expression de temps correspondante au discours direct ou indirect.

Discours direct	→	Discours indirect
1. aujourd'hui	→	....
2.	→	ce matin-là / ce soir-là
3.	→	à ce moment-là
4. ce mois-ci	→	....
5. hier / avant-hier	→	....
6. demain / après-demain	→	....
7.	→	le lendemain matin / soir
8.	→	la semaine précédente / suivante
9. il y a quinze jours	→	....

10. Transformez les témoignages au discours indirect. Variez les verbes introducteurs.

1. Un auteur : « J'ai toujours perçu les réseaux sociaux comme de vulgaires machines à bavardage. Il y a deux ans environ, pour en avoir le cœur net, je me suis dit : il faut que je me crée un profil ! À ma grande surprise, j'y ai découvert un univers propice à la création dont je ne pourrais plus me passer. »

Il y a quelques années, un auteur avait confié à notre magazine qu' ....
....
....
....

2. Karina, 15 ans : « J'adore les réseaux sociaux que je trouve parfaits pour faire de nouvelles connaissances. Mais il m'est arrivé une mésaventure qui a commencé le mois dernier. J'ai rencontré un garçon de mon âge qui avait la même passion que moi pour le monde aquatique. On a commencé à échanger des photos. Il a fini par me donner rendez-vous avant-hier. Et là, je me suis retrouvée nez à nez avec un homme de 40 ans ! J'ai alerté la police. Plus jamais je ne chatterai avec des inconnus ! Vous aussi, méfiez-vous ! Je n'aurais jamais imaginé ça avant ! »

→ *Il y a quelques semaines, Karina a raconté sur notre blog qu'elle* ....
....
....
....
....
....

L'expression du but

11. a. Lisez l'article. Soulignez les mots et les expressions du but.

Quel avenir pour le transhumanisme ?

Les humanistes, initialement, cherchent à exploiter la raison, la science et la technologie en vue de contrer les souffrances de l'Homme : pauvreté, maladie, handicap, etc. Les transhumanistes, quant à eux, ont l'intention de développer les possibilités techniques afin que les gens puissent vivre plus longtemps. Le transhumanisme s'appuie sur les avancées de l'intelligence artificielle et de la biologie de sorte que l'on puisse mettre un terme à la vieillesse, aux maladies et, enfin, à la mort. Objectif ultime : l'apparition d'une nouvelle humanité. Ce courant alimente de nombreux débats et polémiques. Ainsi, Elon Musk a affiché ses réticences sur le développement des nouvelles technologies lors d'un débat face à Jack Ma de crainte que l'intelligence artificielle ne devienne une entité supérieure destructrice. À l'inverse, d'autres, histoire de booster leurs capacités humaines, sont prêts à tout : greffes d'électrodes, implants cérébraux, etc. Mais la fin justifie-t-elle les moyens ?

b. Complétez le tableau avec les mots et les expressions soulignés dans le texte. Ajoutez ceux que vous connaissez.

Les expressions du but	
Conjonctions + subjonctif	....
Prépositions / Locutions + infinitif	....
Verbes / Locutions verbales + infinitif	*chercher à*, ...
Noms	....

Souvenez-vous

pour
en vue de
de crainte de   } + infinitif / nom
de peur de

chercher (à)
viser (à)   } + infinitif / nom
ambitionner (de)

Ex. : Les humanistes cherchent { à exploiter la raison.
{ le bien-être de l'Homme.

Attention !
De manière que, de façon que, de sorte que + indicatif = expression de la conséquence.
De manière que, de façon que, de sorte que + subjonctif = expression du but.
Ex. : […] *de sorte que l'on* **puisse** *mettre un terme à la vieillesse, aux maladies et, enfin, à la mort.* → but
[…] *de sorte que nous* **pourrons** *être en meilleure santé.* → conséquence

12. Écrivez la phrase avec les éléments donnés. Faites les accord nécessaires.

Exemple : la coopération internationale – nécessaire - limiter la cybercriminalité – en vue de
→ *En vue de limiter la cybercriminalité, la coopération internationale est nécessaire.*

1. le gouvernement – lancer une nouvelle campagne d'information – les enfants – savoir ce qu'est l'identité numérique – de sorte que – ambitionner de

. . . .

. . . .

2. le cyberharcèlement – entraîner de graves dommages auprès des adolescents – la directrice du collège – inviter des psychologues – conduire des ateliers de sensibilisation – afin que – de crainte que

. . . .

. . . .

3. le profilage – créer des publicités comportementales – l'internaute – recevoir uniquement des publicités liées à ses intérêts – l'objectif – de façon à ce que

. . . .

. . . .

Le *ne* explétif

13. 🎧24 Écoutez les commentaires sur l'analyse des données. Associez chaque commentaire à un emploi du *ne* explétif et relevez les expressions utilisées.

Commentaire	Emploi	Expressions
4	Après de rares conjonctions	*avant que*
....	Après une expression de crainte	
....	Après une expression du doute à la forme négative pour exprimer une idée positive	
....	Après une comparaison d'inégalité	

Souvenez-vous

Le *ne* explétif n'a pas de sens négatif. Il n'est **jamais obligatoire** et relève du **registre soutenu**.

14. Donnez votre opinion sur la publicité ciblée. Utilisez les quatre emplois du ne explétif.

Nous améliorons notre style

Expliciter un concept difficile

15. 🎧▶25 Écoutez le début de la conférence sur la cybersécurité. Complétez le tableau avec les extraits de cette conférence. Reportez-vous à la transcription si nécessaire.

Procédé	Expression(s) utilisée(s)
1. Définir un mot	
2. Anticiper une question	
3. Introduire une explication	
4. Faire un rappel	
5. Donner un exemple	
6. Faire une analogie	

16. Associez chaque expression au procédé utilisé.

1. je vais illustrer mon propos avec l'exemple de
2. désigne
3. laissez-moi vous expliquer
4. et dans le cas où
5. un terme
6. on peut comparer
7. que ce soient […] ou encore
8. vous allez me poser la question
9. imaginons que
10. rappelons que

a. Définir un mot
b. Anticiper une question
c. Introduire une explication
d. Faire un rappel
e. Donner un exemple
f. Faire une analogie

17. Complétez la présentation du big data avec les expressions de l'activité 16.

Qu'est que le big data ?

Le *big data*, c'est un *terme* qui .... (1) la masse des données qui transitent chaque jour sur le web .... (2) des photos, des vidéos, des likes sur Facebook, des horaires de train, des affiches de films .... (3) des historiques de la météo depuis les années 50. Il faut savoir que cette masse de données augmente de manière gigantesque. .... (4) Francesca qui, lorsqu'elle poste sur son profil Facebook une vidéo d'elle faisant du yoga au fin fond de la forêt amazonienne, va générer une nouvelle donnée : le like de son amie Rachel, qui à son tour va générer un commentaire de Stéphane, le cousin de Rachel, etc. ... . (5) c'est là qu'interviennent les programmeurs et mathématiciens qui créent des algorithmes ultra complexes pour traiter la masse de données qui circulent sur Internet. .... (6) : « Mais à quoi ça sert de faire ça ? » .... (7). On se rend compte que les traiter, ça peut servir à plein de choses. .... (8) un hôtel d'une île du Pacifique souhaite prévoir son taux de remplissage pour l'été prochain, il va pouvoir le faire en fonction du nombre de billets vendus sur les sites des compagnies aériennes. .... (9) un candidat d'une élection présidentielle veut connaître les attentes de ces électeurs, il pourra le faire en analysant leurs tweets. Bref, ... (10) le *big data* à un gros cerveau qui se souviendrait de tout ce qui se passe sur Internet.

DOSSIER **10** Histoire *vs* mémoire

Nous enrichissons notre vocabulaire

Mémoire et transmission de l'histoire

> Leçons **1** et **3**

1. Lisez l'article et classez les expressions en gras dans le tableau.

---

http://www.?????.fr

Un voyage dans la Résistance

Le projet actuellement mené autour de la **Seconde Guerre mondiale** (1) par le professeur d'histoire-géographie d'un collège de Thiers, dans le centre de la France, est assez singulier. L'enseignant a fait le choix de s'appuyer sur l'**application mobile** *Voyage en Résistance* (2), une application du type *Pokémon Go* qui permet d'explorer la ville avec des points géolocalisés : à travers **des missions à réaliser** (3) et des *check points* qui racontent **l'histoire de la Résistance** (4). Le jeu **recrée virtuellement le passé** (5) local et offre la possibilité de **se glisser dans la peau d'un résistant** (6) lors de la Seconde Guerre mondiale.

Pourquoi ce projet ? Tout d'abord, pour **enseigner l'histoire** (7) et **faire réfléchir les élèves** (8) en mobilisant les savoirs acquis en classe. Par ailleurs, le but est de les aider à **développer leur esprit critique** (9) à travers l'**enquête** (10) qu'ils doivent mener. En effet, la **Résistance** (11) est globalement connue, mais certaines **remises en question** (12) inquiètent l'enseignant. Dès lors, une **démarche historique** (13) qui nécessite de **confronter différentes interprétations de l'histoire** (14) et de **croiser les sources d'information** (15) évite aux élèves d'**avoir un biais** (16). Enfin, dans la ville de Thiers, il n'existe aucune **donnée enregistrée** (17). En travaillant avec les **Archives départementales** (18) et en rentrant davantage de données dans le jeu, les élèves et leur professeur espèrent aider les Thiernois à **se souvenir de leur passé** (19) et à **se rappeler les événements marquants** (20) de la Résistance locale.

Les événements du passé et leur mémoire	Le travail de l'enseignant ou de l'historien	L'expérience du jeu	La mémoire mise en danger
1, ..., ..., ..., ..., ...	....., ..., ..., ..., ...	....., ..., ..., ..., ..., ...	....., ...

> **Souvenez-vous**
>
> On dit : *se souvenir **de** qqch/qqn* mais *se rappeler qqch/qqn*.

2. a. Associez les mots à leur définition.

1. un cessez-le-feu   a. Action de rappeler et célébrer le souvenir d'un événement ou d'une personne.

2. un armistice   b. Fait de reprendre l'avantage après avoir eu le dessous.

3. une contre-vérité   c. Action de ramener l'accord et l'harmonie entre des personnes en mésentente.

4. l'obscurantisme   d. Traitement injuste et cruel infligé avec acharnement.

5. une commémoration   e. Convention signée entre les pays combattants pour mettre fin aux hostilités.

6. une réconciliation   f. Arrêt officiel des combats.

7. une revanche   g. Attitude de ceux qui s'opposent à la diffusion de l'instruction et de la culture.

8. une persécution   h. Affirmation catégorique manifestement contraire aux faits.

b. Complétez les phrases avec des mots de l'activité **2a**. Faites les accords nécessaires.

1. Le Haut Commissariat pour les réfugiés a été créé après la Seconde Guerre mondiale pour venir en aide aux personnes qui avaient fui les combats et les ....

2. En Afrique du Sud, la Commission Vérité et . . . . avait pour but de promouvoir l'unité

nationale et la paix qui dépasse les conflits et les anciennes divisions.

3. Les actualités comme les faits historiques sont sujets à des . . . . parfois difficiles

à combattre pour les enseignants.

4. On espère toujours que la mémoire du passé ne sera pas utilisée pour nourrir l'esprit de . . . . ,

d'où l'importance de l'enseignement de l'histoire.

5. Lors du sommet, les leaders de la région réunis avec les émissaires des Nations Unies n'ont pas réussi à obtenir de

. . . . entre les pays en guerre.

6. En France, certains pensent que les cérémonies de . . . . ne s'adressent pas

suffisamment aux jeunes gens et manquent de pédagogie.

⟩ Histoire et justice d'assises

> Leçon **4**

3 Lisez le résumé d'un procès d'assises. Entourez les expressions correctes.

Le procès de Klaus Barbie

Le procès de Klaus Barbie s'est ouvert le 11 mai 1987 devant **la cour d'assises** / **le tribunal** (1) du Rhône à Lyon et un **jury** / **juge** (2) populaire. L'ancien officier SS vivait en Bolivie lorsqu'il a été identifié par des enquêteurs et d'anciennes victimes françaises ; la France a obtenu **sa démission** / **son extradition** (3) en 1983. Au terme de plusieurs années d'instruction, le **chef d'inculpation** / **jugement** (4) retenu est crime **de droit commun** / **contre l'humanité** (5) puisque sont notamment retenus des actes de tortures et **la déportation** / **le déplacement** (6) de Juifs et de résistants vers les camps d'extermination entre 1943 et 1944. Trois avocats ont assuré sa défense face **à l'avocat** / **au procureur** (7) général et aux 113 associations et particuliers s'étant portés **partie civile** / **opposants** (8), représentés par 39 avocats. Après quelques jours **d'audience** / **d'écoute** (9), l'accusé a refusé d'assister à la suite du procès. Cependant, lorsqu'ont commencé les **auditions** / **rencontres** (10) de témoins victimes de Barbie, il a été obligé de **venir** / **comparaître** (11) à nouveau. Ce sont ensuite les témoins de la défense qui ont été cités. Les deux dernières semaines ont été consacrées aux **plaidoiries** / **réquisitoires** (12) des parties civiles et des avocats de la défense ainsi qu'**à la plaidoirie** / **au réquisitoire** (13) du procureur général. Le verdict a été **donné** / **rendu** (14) le 4 juillet : Klaus Barbie est condamné à la réclusion criminelle **éternelle** / **à perpétuité** (15).

⟩ Histoire et union internationale

> Leçon **2**

4. 🎧 ▶26 **Écoutez les étapes de la formation du Mercosur. Associez-les aux titres suivants :**

l'harmonisation des législations • une zone de libre-échange • une entrée en vigueur • la coordination des politiques économiques • un élargissement • la libre circulation • l'union douanière • la coopération économique

1. . . . .   5. . . . .

2. . . . .   6. . . . .

3. . . . .   7. . . . .

4. . . . .   8. . . . .

5. a. **Numérotez dans l'ordre les étapes de construction d'une zone de libre-échange.**

. . . . . : ratification d'un accord

. . . . . : rapprochement de plusieurs pays

. . . . . : entrée en vigueur d'un accord

. . . . . : forum de négociation

. . . . . : signature d'un accord

. . . . . : élargissement à un nouveau membre

b. Classez les modes de coopération suivants du moins intégré (1) au plus intégré (6) :

l'harmonisation économique • une zone de libre-échange • l'intégration politique •un rapprochement • le fédéralisme • la libre circulation

1. ....
2. ....
3. ....
4. ....
5. ....
6. ....

6. Choisissez un événement historique commémoré dans votre pays. Quel est le type de commémoration organisé ? Comment est-il expliqué dans l'enseignement scolaire ?

....
....
....
....
....
....

Lexique thématique du dossier 10

7. Lisez les rubriques du lexique. Complétez-les avec des mots et des expressions que vous connaissez.

Mémoire et transmission de l'histoire

un cessez-le-feu
un armistice
les combattants ≠ les victimes
le patriotisme ≠ le nationalisme
une commémoration
la réconciliation ≠ une revanche
une persécution raciale
la pensée historienne

la collecte de données
se prononcer sur...
formuler / émettre une hypothèse
une source d'information
une cause sociale / politique / économique
adhérer à un récit
développer son sens critique

Histoire et justice d'assises

une cour d'assises
une plaidoirie ≠ un réquisitoire
une partie civile
la défense
le procureur général
un crime contre l'humanité / de droit commun

être condamné(e) à...
un jury populaire
rendre un verdict
une (demande d') extradition
peser sur les débats
suivre une audience

Histoire et union internationale

la construction européenne
le panafricanisme
l'Unité africaine
un rapprochement
une unification
un élargissement
le fédéralisme
la coopération
l'intégration politique
un marché commun
la libre circulation

supranational(e) ≠ intergouvernemental(e)
le séparatisme
l'euroscepticisme
une zone de libre-échange
réduire les droits de douane
une entrave administrative
des taxes douanières
être en proie à [un problème]
être en butte à [une difficulté]
ratifier un accord

Nous perfectionnons notre grammaire

La forme passive

8. a. Lisez l'article sur le procès de Jeanne d'Arc. Soulignez 15 verbes à la voix passive ou qui expriment le passif.

Les faits : En 1431, après être parvenue à asseoir Charles VII sur le trône, Jeanne d'Arc est capturée par les Bourguignons qui sont de mèche avec les Anglais.

Le procès : Pierre Cauchon, évêque et conseiller du roi d'Angleterre, est chargé de l'instruction. La porte de la chapelle royale du château de Rouen se ferme sur l'audience qui commence. Cauchon est entouré de 120 religieux. Qu'est-il reproché à Jeanne d'Arc ? De porter un habit d'homme, d'entendre des voix diaboliques, d'être une sorcière.

Jeanne se défend seule, tête nue, en habits d'homme. Elle se fait interroger sur sa tenue. « Les voix ne m'ont dit que d'être bonne chrétienne et de servir mon roi, le reste n'est pas de votre procès », affirme-t-elle. La brochette d'éminents intellectuels est surprise de sa répartie et tente de lui faire avouer ses fautes par tous les moyens. Elle ne cède pas. Le procès est perdu d'avance. Le 23 mai, on déclare Jeanne d'Arc coupable.

L'épilogue : Le 24, Cauchon lui propose un marché. À moins qu'elle ne porte plus l'habit d'homme, elle sera brûlée vive. Elle se laisse convaincre et signe son abjuration. En contrepartie, elle s'est entendue promettre qu'elle serait détenue à perpétuité dans une prison de l'Église. En réalité, Jeanne est renvoyée dans son cachot anglais. Cauchon n'a pas tenu sa promesse. Jeanne reprend son habit d'homme. Elle n'échappe pas à la condamnation et est brûlée vive le 30 mai.

b. Classez les formes soulignées en fonction du procédé.

1. La voix passive formée avec *être* + participe passé. Le COD de la voix active devient sujet de la voix passive.

   Exemples : *est capturée*, ...

2. Le passif impersonnel utilisé avec un pronom impersonnel ou neutre.

   Exemple : . . . .

3. La forme pronominale de sens passif. Le sujet est inanimé*.

   Exemple : . . . .

4. Le verbe *faire* + infinitif.

   Exemple : . . . .

5. Les formes *se faire / se laisser* + infinitif. Le sujet est animé*.

   Exemples : . . . .

6. Les formes *s'entendre / se voir* + infinitif. Le sujet est animé*.

   Exemple : . . . .

7. L'emploi du pronom *on* (= *quelqu'un*).

   Exemple : . . . .

*animé = être vivant ; inanimé = chose, objet

Souvenez-vous

- On utilise *se laisser* + infinitif pour insister sur la passivité du sujet.
  Ex. : *Il s'est laissé emmener par la police.* (= On insiste sur le fait qu'il n'a opposé aucune résistance.)

- En général, les verbes à la forme passive sont construits avec la préposition *par* pour introduire celui qui réalise l'action.
  Ex. : *Jeanne d'Arc est capturée par les Bourguignons.*

Néanmoins, il arrive qu'on utilise la préposition *de* dans les cas suivants :
– avec des verbes de description. **Ex. :** *être entouré(e) de*
– avec des verbes de sentiments. **Ex. :** *être aimé(e) de*
– lorsque le verbe est au sens figuré. **Ex. :** *être surpris(e) de*

9. Complétez les extraits de la déclaration* en conjuguant le verbe au temps et à la voix adaptés (active ou passive).

La paix mondiale ne saurait *être sauvegardée* (sauvegarder) sans des efforts créateurs à la mesure des dangers qui la *menacent* (menacer). [...] L'Europe n'........................ pas .... (1. faire), nous avons eu la guerre. [...] Le rassemblement des nations européennes exige que l'opposition séculaire de la France et de l'Allemagne .... (2. éliminer). [...] Le gouvernement français .... (3. proposer) de placer l'ensemble de la production franco-allemande du charbon et d'acier sous une Haute Autorité commune, dans une organisation ouverte à la participation des autres pays d'Europe. [...] La solidarité de production qui .... ainsi .... (4. nouer) manifestera que toute guerre entre la France et l'Allemagne devient non seulement impensable, mais matériellement impossible. Cette production .... (5. offrir) à l'ensemble du monde, sans distinction ni exclusion, pour contribuer au relèvement du niveau de vie et au progrès des œuvres de paix. [...] Ainsi .... (6. réaliser) simplement et rapidement la fusion d'intérêts indispensable à l'établissement d'une communauté économique et .... (7. introduire) le ferment d'une communauté plus large et plus profonde entre des pays longtemps opposés par des divisions sanglantes. [...] Les négociations indispensables pour préciser les mesures d'application .... (8. poursuivre) avec l'assistance d'un arbitre désigné d'un commun accord : celui-ci .... (9. avoir) charge de veiller à ce que les accords .... (10. être) conformes aux principes et, en cas d'opposition irréductible, ... (11. fixer) la solution qui .... (12. adopter). Un représentant des Nations Unies auprès de cette Autorité .... (13. charger) de faire deux fois par an un rapport public à l'O.N.U. rendant compte du fonctionnement de l'organisme nouveau notamment en ce qui concerne la sauvegarde de ses fins pacifiques.

*La déclaration du 9 mai 1950 faite par Robert Schuman est considérée comme le texte fondateur de la construction européenne.

10. Cochez les phrases correctes exprimant le passif.

1. ☐ On joue seul au jeu vidéo *Soldats inconnus*.

   ☐ Le jeu vidéo *Soldats inconnus* se joue seul.

   ☐ Le jeu vidéo *Soldats inconnus* est joué seul.

2. ☐ Un chercheur s'est vu accorder une prime de plusieurs milliers d'euros pour avoir élaboré une méthode révolutionnaire d'apprentissage de l'histoire.

   ☐ Un chercheur a été accordé une prime de plusieurs milliers d'euros pour avoir élaboré une méthode révolutionnaire d'apprentissage de l'histoire.

   ☐ Il a été accordé une prime de plusieurs milliers d'euros à un chercheur pour avoir élaboré une méthode révolutionnaire d'apprentissage de l'histoire.

3. ☐ L'histoire s'enseigne différemment selon les pays.

   ☐ L'histoire se fait enseigner différemment selon les pays.

   ☐ L'histoire est enseignée différemment selon les pays.

4. ☐ Le professeur a fait réaliser une frise retraçant la construction de l'Union européenne à ses élèves.

   ☐ Les élèves se sont laissé réaliser une frise retraçant la construction de l'Union européenne.

   ☐ Une frise retraçant la construction de l'Union européenne a été réalisée par les élèves.

11. Complétez avec la préposition *de* ou *par*. Faites les contractions nécessaires.

Exemple : Ce professeur d'histoire est aimé *de* tous ses élèves.

1. Surnommé le Bien-Aimé, Louis XV était très apprécié .... le peuple au début de son règne.

2. Le soldat a été touché .... une balle ennemie.

3. Marguerite fut prise .... un élan de joie lorsque l'on annonça la fin de la guerre.

4. L'Union européenne est composée .... 27 États membres.

5. Les troupes ont été surprises .... un assaut ennemi en plein milieu de la nuit.

6. Beaucoup d'Européens ont été surpris .... la décision de la Grande-Bretagne de quitter l'Union européenne.

12. Reformulez le fait historique avec les procédés demandés.

Carlos : un procès historique

Afin de pouvoir organiser le procès du terroriste international Carlos, les services secrets français et le gouvernement du Soudan organisent sa capture à Khartoum le 14 août 1994 (*faire* + infinitif). Le 12 décembre 1997, on ouvrait le premier procès en France de Carlos à la Cour d'assises de Paris (forme pronominale de sens passif). Après plusieurs procès tenus en son absence, le « révolutionnaire autoproclamé » était jugé pour ses premiers assassinats commis en France (*se voir* + infinitif).

. . . .

. . . .

. . . .

. . . .

La nominalisation

13. 🎧▶27 Écoutez un professeur d'histoire en classe de Terminale présenter sa matière à des parents d'élèves. Complétez le document remis aux parents avec des nominalisations.

ATTENTES EN CLASSE DE TERMINALE :
– . . . . des périodes historiques ;
– . . . . des faits de natures, de périodes et de localisations différentes ;
– . . . . du savoir acquis avec ce que l'élève entend, lit, vit ;
– . . . . , ... et . . . .
d'un document iconographique ;
– . . . . du lexique à bon escient ;
– . . . . de documents de sources différentes, etc.

GRANDE PARTICULARITÉ ET . . . . DE L'ENSEIGNEMENT DE L'HISTOIRE :
– . . . . des objectifs,
– . . . . d'une culture générale solide,
– . . . . de la pensée historienne.

Souvenez-vous

La nominalisation permet à la fois la **concision** et la **densité de l'information** ainsi que l'**objectivité du point de vue**.
Elle entraîne des **modifications de la phrase** :
adjectif ou verbe + adverbe → nominalisation + adjectif OU adjectif + nominalisation.
Ex. : *L'enseignement de l'histoire est très particulier.* → *Grande particularité de l'enseignement de l'histoire.*

14. Formez des titres à partir des phrases proposées. Plusieurs titres sont possibles.

Exemple : Le régime a été renversé alors que l'on ne s'y attendait pas. → *Renversement inattendu du régime*

1. Les troupes belges ont été retirées progressivement. → . . . .

2. Napoléon a été vaincu en Haïti mais cela reste méconnu. → . . . .

3. Comme on le prévoyait, les Alliés ont gagné. → . . . .

4. Le Mur de Berlin est tombé. → . . . .

5. L'Union européenne ne s'est pas construite en un jour ! → . . . .

6. Les militaires ont échoué douloureusement dans leur tentative de coup d'État. → . . . .

7. La peine de mort a été abolie. → . . . .

8. Lorsque l'Europe est passée à la monnaie unique, il y a eu des controverses. → . . . .

Nous améliorons notre style

Enchaîner thèmes et propos pour faire progresser un texte

15. **Lisez l'extrait de roman et répondez aux questions.**

Il est 10 heures. Le son des cloches laisse place dans les rues de La Penne à des bruissements. La rumeur gonfle à mesure que l'on s'approche du monument aux morts du village. C'est l'emplacement de la cérémonie de ce jour. La commémoration du 11 novembre est dans l'esprit de toutes les âmes croisées ce matin. Habitants d'ici ou d'ailleurs, ils rejoignent le groupe déjà constitué et parlent doucement en regardant la silhouette
5 du maire qui s'avance.

Patrice Briandet apparaît concentré, presque grave. Maire de La Penne, il mesure une fois de plus l'importance de cette commémoration. Il a préparé un discours à la mémoire des veuves et orphelins de la Grande Guerre, en plus du discours que le Ministère des armées a fait parvenir à tous les maires de France, comme chaque année. C'est en homme chaleureux qu'il conclura la cérémonie avec quelques paroles spontanées pour les uns et les
10 autres.

La cérémonie débute. On procède au lever des couleurs de la France. Après les remerciements officiels, les discours se font hommages. Les noms des victimes sont ensuite prononcés : « mort pour la France » répond seize fois l'assemblée. Lorsque la gerbe de fleurs est déposée, les porteurs de drapeaux inclinent leurs bannières et une minute de silence gagne chacun. Finalement, la Marseillaise retentit : l'émotion de l'assemblée est à son comble.

a. **Dans le paragraphe 1, quel est le lien entre les groupes de mots de même couleur ?**

....

b. **Le récit est-il statique ou en mouvement ?** ....

c. **Quel est l'aboutissement du paragraphe 1 ?** ....

d. **Quel est le thème du paragraphe 2 ?** ....

e. **Soulignez tous les mots qui le désignent dans le paragraphe 2.**

16. **a.** **Relisez le paragraphe 3 et identifiez son thème central.** ....

b. **Quel est le lien entre les éléments soulignés et le thème central ?**

....

17. **Associez les éléments pour obtenir des affirmations correctes.**

1. Les éléments entourés en noir	répètent un thème pour marquer l'insistance.
2. Les éléments entourés en rouge	ont une fonction emphatique.
3. Tous les éléments entourés	mettent un thème en relief.

Souvenez-vous

Dans le récit, la progression de l'information se fait de différentes manières :

1. avec un **thème constant** pour insister sur une idée ou une personne.
   Ex.: *Le drapeau est hissé. Il représente la France. La bannière tricolore est également portée par un homme.*

2. en alternant la reprise d'éléments connus (= le **thème**) et l'ajout d'informations nouvelles (= le **propos**) pour amener le lecteur vers un élément important.
   Ex.: *Chacun peut assister à la cérémonie. Celle-ci se tiendra sur la place. Cette dernière sera donc fermée à la circulation.*

3. avec les **thèmes dérivés** d'un thème central pour structurer une description ou l'organiser dans l'espace.
   Ex.: *Le monument impressionne. La sculpture est réaliste : les soldats semblent épuisés, leur visage exprime le désespoir. Le socle en marbre étincelle.*

18. **Continuez le paragraphe selon les trois techniques de progression de l'information.**

La commémoration la plus importante de mon pays…

DOSSIER **11** Interculturel

Nous enrichissons notre vocabulaire

L'accès à la culture

> Leçons **1** et **3**

1. Lisez le bilan que dresse un universitaire. Identifiez les mots et les expressions du texte propres à chaque rubrique.

Bilan sur la politique d'accès à la culture

Une large partie de la population profite d'une offre culturelle riche et diversifiée grâce aux investissements publics et aux initiatives du secteur associatif. Mais une autre partie, en particulier les catégories les plus populaires, ne bénéficie toujours pas des équipements et des événements culturels soutenus par la puissance publique. Les solutions proposées en faveur de la démocratisation de l'accès à la culture, dans les théâtres, salles de concert et musées ou dans les centres culturels et d'animation, ont donc bien montré leurs limites.

Ainsi, les actions visant des publics « spécifiques » comme les actions de médiation ne touchent pas assez de personnes, et notamment pas ceux qui sont peu familiers de l'offre culturelle. Les actions de communication quant à elles jouent parfois sur le registre de la connivence, ce qui laisse de côté les individus ne possédant pas les clés de la culture dominante. Par ailleurs, le numérique n'est qu'un outil qui ne peut à lui seul surmonter les inégalités sociales. Enfin, les institutions publiques ne disposent pas d'objectifs chiffrés, donnant lieu à un suivi et une évaluation, concernant l'élargissement de leurs publics aux catégories les plus modestes.

En somme, malgré les efforts déployés, un clivage demeure pour ceux qui éprouvent un sentiment d'illégitimité. Renverser cette situation suppose une démarche double pour permettre une réelle démocratisation de l'accès aux équipements culturels publics : l'optimisation de l'offre existante pour mieux servir les besoins des citoyens et une révision du fonctionnement des institutions culturelles pour briser les réflexes d'autocensure.

1. Les personnes en situation d'inégalité face à l'accès à la culture :

....
....
....

2. Les acteurs de l'accès à la culture :

....
....

3. Les mesures et outils favorisant l'accès à la culture :

....
....
....
....
....

2. Lisez les analyses de spécialistes et complétez-les avec une expression de la liste. Faites les accords et les élisions nécessaires.

politique racoleuse • autocensure • malentendu culturel • démocratisation des savoirs • discrimination liée à la culture • appropriation culturelle

1. Même si la méritocratie républicaine est fortement revendiquée en France, les parcours scolaires restent cependant particulièrement liés aux origines socioculturelles des individus. Comment ne pas y voir des ....
.... ?

2. Annoncer des chiffres ambitieux et des objectifs pharaoniques, c'est ce que certains politiciens font, pensant satisfaire les attentes en matière d'accès à la culture. De fait, il ne s'agit là que d'une ....

3. Selon moi, c'est surtout en inscrivant durablement l'éducation artistique et culturelle dans les politiques éducatives que l'on pourra avancer sur le dossier de la . . . .

4. Si l'on mettait en place un service public de « culture à domicile » qui tire pleinement profit des opportunités offertes par le numérique, plus de jeunes auraient accès à la culture et oseraient présenter des concours prestigieux. On verrait ainsi baisser les cas de . . . .

5. Les peuples sont de plus en plus exposés aux autres cultures, dès leur plus jeune âge. C'est pourquoi il serait bon de mettre en place des enseignements interdisciplinaires qui sensibiliseraient à l'interculturel. On pourrait ainsi éviter bien des . . . .

6. Ce qui est aujourd'hui crucial, notamment dans les quartiers dits défavorisés, c'est de tout faire pour que les jeunes se sentent inclus. Cela passe entre autres par une approche respectueuse et inclusive des aspects caractéristiques de leur culture et de celles de leurs ancêtres, afin que jamais ils ne se sentent victimes de

. . . .

L'humour et la comédie

> Leçon **2**

3. 🎧▶28 **Écoutez les critiques d'une émission de radio et indiquez ce dont ils parlent.**

un sketch • l'humour fédérateur • l'humour potache • le burlesque • une comédie de boulevard • le sens de la répartie • la provocation • la liberté d'expression

1. . . . .   5. . . . .

2. . . . .   6. . . . .

3. . . . .   7. . . . .

4. . . . .   8. . . . .

4. **Complétez la chronique avec des mots et des expressions de l'activité** 3. **Faites les accords nécessaires.**

L'autre jour, je regardais un . . . . (1) et je me disais que l'humoriste avait eu la main lourde sur la . . . . (2) : il était franchement à la limite de l'injure. En même temps, je réalisais que justement, c'était ça qui me faisait rire : la méchanceté dans l'humour. J'ai donc décidé de comprendre pourquoi ce côté mauvais me plaît dans l'humour.

Contrairement à la conception américaine, je ne pense pas que l'. . . . . (3) puisse fonctionner à tous les coups : on ne peut pas tous rire au même humour, ou alors il faut rester dans le . . . . (4) et ne rire que des mimiques et des situations. Bien sûr, comme beaucoup, j'ai commencé par rire avec les copains de lycée devant des humoristes et des films dont l'. . . . . (5) ne parlait qu'à nous, les jeunes, et ne laissait guère de chance aux « vieux ». Puis pour l'école, il a fallu que je lise et que je voie des . . . . (6) qui, elles, s'attaquent à la bourgeoisie. Est-ce à travers ces répliques que j'ai développé mon goût pour cet humour un peu dur ? En fait, la réponse ne se trouve pas dans l'analyse du . . . . (7) des dialogues qui me mettent en joie. Elle n'est sûrement pas non plus du côté des grandes théories sur la . . . . (8) à la française que je valoriserais à l'extrême. Tout simplement, je suis une personne bien élevée, polie, et je n'ose jamais me moquer ou faire des vannes. Alors j'adore celles et ceux qui le font pour moi !

5. Soulignez les expressions correctes dans ces analyses sur l'art et l'identité.

1. Malgré les plus sombres **prévisions / connivences**, la mondialisation ne s'est pas traduite par **l'appropriation /
l'effacement** des différentes identités culturelles mais bien au contraire par l'émergence de **nombreux
enrichissements / nombreuses revendications** identitaires, qu'elles soient religieuses, nationales ou ethniques.

2. L'idée **d'universalité / de clivage** de l'art, échappant à tout enracinement historique ou géographique, telle que
l'UNESCO la promeut, fait hurler au **scandale / génie** ceux qui la voient comme une manière **de baigner / d'imposer**
les canons de la culture **dominante / communautaire**.

3. Avec l'arrivée **sur le marché artistique / dans les centres culturels** des grandes fondations liées au luxe, certains
artistes qui signent des articles produits par ces firmes sont **fustigés / acclamés** pour la **libéralisation /
marchandisation** de l'art que cela représente.

4. Paradoxalement, en ouvrant les monuments du **savoir / patrimoine** comme Versailles à des événements artistiques
ou culturels, la puissance publique participe aussi **au communautarisme / à la commercialisation** et s'expose
à **l'autocensure / la contestation**, notamment identitaire.

6. 🎧H29 Écoutez les témoignages sur des malentendus interculturels. Associez-les à un domaine.

.... a. La place du religieux

.... b. La perception du temps

.... c. Les codes vestimentaires

.... d. Les relations entre les gens

.... e. La nourriture

.... f. La représentation de la famille

7. Présentez les étapes conduisant à l'intégration ou au rejet de votre
culture par un(e) Français(e) qui viendrait s'installer dans votre ville
ou votre pays. Aidez-vous du graphique ci-contre et donnez
des exemples.

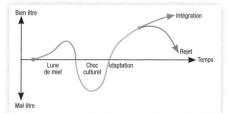

Lexique thématique du dossier 11

8. Lisez les rubriques du lexique. Complétez-les avec des mots et des expressions que vous connaissez.

La culture et ses composants	L'accès à la culture et l'interculturel	L'humour et la liberté d'expression
la culture artistique	être imprégné(e) par	une comédie populaire
la culture partagée	se glisser / s'immerger dans une culture	une comédie de boulevard
la culture universelle	se mettre en connivence avec	un film comique
un centre culturel et d'animation	s'arracher à sa territorialité	un humour fédérateur / potache
un acteur culturel	la démocratisation des savoirs	le burlesque
une composante culturelle	un clivage	un quiproquo
un enrichissement culturel	l'égalité des chances	mettre quelqu'un en joie
une représentation culturelle	une discrimination liée à la culture	la jovialité
	se sentir illégitime	la vulgarité
	l'autocensure	le mauvais goût
	la culture dominante	le rire sacrilège
	l'appropriation culturelle	désacraliser
	le communautarisme	fustiger
	un malentendu interculturel	la subversion
	un choc culturel	la diffamation
		hurler au scandale

Nous perfectionnons notre grammaire

L'expression du temps : les conjonctions de subordination

9. a. ☊ ▶30 **Écoutez l'interview d'un étudiant retenu pour participer au Programme égalité des chances et démocratisation de Sciences Po. Complétez les phrases avec les conjonctions de la liste. Faites les élisions nécessaires.**

d'ici à ce que • maintenant que • après que • à mesure que • chaque fois que • avant le moment où • jusqu'à ce que • avant que • en même temps que • du plus loin que • à peine [...] que

1. .... il a assisté à la présentation du programme dans son lycée, il n'avait pas pensé à cette voie.

2. .... il se rapprochait de la terminale, il a commencé à réfléchir à son avenir.

3. Il pensait se tourner vers la fac d'économie .... il comprenne qu'il pouvait entrer à Sciences Po.

4. .... il sait qu'il va intégrer ce programme, il est conscient de ses lacunes.

5. .... il se souvienne, ses parents ne l'ont jamais emmené à une exposition.

6. Il se sentait illégitime .... il ne passe son entretien à Sciences Po.

7. .... il se sentait attiré par la culture, il s'en interdisait l'accès.

8. .... il allait au cinéma, c'était pour voir une grosse production américaine.

9. .... le jury l'a informé qu'il n'avait pas les mêmes connaissances culturelles que les autres candidats, il a compris qu'il fallait combler ce manque.

10. .... est-il sorti de l'entretien .... il a acheté tous les classiques !

11. .... il franchisse les portes de Science Po en septembre prochain, il compte bien visiter un maximum d'expo !

b. **Complétez le tableau avec les conjonctions de subordination de l'activité 9a. Ajoutez d'autres conjonctions de temps que vous connaissez (+).**

	Mode	Conjonctions
Antériorité	Indicatif	.... + ...
	Subjonctif	.... , ... ,
		.... ,
		+ ....
Simultanéité	Indicatif	.... ,
		.... ,
		+ ....
Postériorité	Indicatif	.... ,
		.... + ...

> **Souvenez-vous**
>
> **Attention !** *Avant que* accompagné d'un *ne* explétif relève du registre soutenu.
> *À peine [...] que* entraîne l'**inversion sujet / verbe** et relève aussi du registre soutenu.
> **Ex. :** *À peine **est-il sorti** de l'entretien qu'il a acheté tous les classiques !*

10. Reformulez les phrases avec la conjonction de subordination demandée. Attention au temps des verbes.

Exemple : Tout en s'enrichissant d'une nouvelle langue et d'une nouvelle culture, mon père avait la douloureuse impression de tourner le dos à ses origines. (en même temps)
→ *En même temps qu'il s'enrichissait d'une nouvelle langue et d'une nouvelle culture, mon père avait la douloureuse impression de tourner le dos à ses origines.*

1. Immédiatement après avoir fini la visite guidée de l'exposition, les visiteurs se sont rués sur les produits dérivés de la boutique du musée. (à peine... que)

....

2. Dans l'attente de la sortie de notre guide sur la gestion de la communication interculturelle en entreprise, nous proposons une série de webinaires. (d'ici à ce que)

. . . .

. . . .

3. En continuant à privatiser des espaces culturels tels que les musées, nous nous éloignons de l'accès à la culture pour tous. (tant que)

. . . .

4. Tu regarderas le spectacle de l'humoriste Melha Bedia et tu me donneras ton avis. (dès que)

. . . .

5. Avant la lecture d'un article sur l'appropriation culturelle, Isabelle n'avait pas conscience des blessures qu'un tel acte pouvait provoquer. (avant que)

. . . .

. . . .

Le subjonctif : emplois particuliers

11. a. **Lisez les dialogues. Soulignez les verbes au subjonctif.**

1. – Que j'aie besoin de me remonter le moral ou que tout aille bien, ma préférence va vers les comédies.

– Pas moi. Ce n'est pas que les comédies ne me fassent pas rire, mais je trouve qu'elles manquent souvent de finesse.

2. – Soit qu'il ait mal saisi son humour, soit qu'il soit peu réceptif aux mimiques qui façonnent son personnage, le public suédois ne semble guère emballé par le spectacle de l'humoriste québécois.

– Les spectateurs suédois ont surtout souligné le fossé qui existe entre leurs deux humours.

3. – Connaissez-vous un espace où nous puissions réaliser un projet de médiation interculturelle ?

– La médiathèque est le meilleur lieu qui soit. Je ne connais d'ailleurs aucun autre lieu qui ait autant de ressources accessibles à tous les publics.

4. – Que l'accès à la culture ne soit pas le même pour tous, c'est une évidence. Nous lançons donc un appel à propositions : non que le ministère de la Culture n'y ait déjà songé mais la réflexion locale nous semble plus adaptée. Des idées d'amélioration pour notre commune ?

– Oui ! Que l'inscription à la bibliothèque soit gratuite !

– Ou qu'on mette en place des tutorats intergénérationnels !

b. **Cochez le(s) dialogue(s) correspondant à l'usage du subjonctif et complétez avec un/des exemple(s) tiré(s) du/des dialogue(s).**

1. On utilise le subjonctif dans une complétive placée en début de phrase. → Dialogue(s) ☐ 1 ☐ 2 ☐ 3 ☑ 4

Exemple : *Que l'accès à la culture ne soit pas le même pour tous, c'est une évidence.*

Attention ! Si l'on inverse l'ordre, la complétive est à l'indicatif.

Exemple : *Il est évident que l'accès à la culture n'est pas le même pour tous.*

2. On utilise le subjonctif seul. Il a alors une valeur d'impératif. Il exprime une volonté, un souhait ou un conseil même s'il n'y a pas de verbe introducteur. → Dialogue(s) ☐ 1 ☐ 2 ☐ 3 ☐ 4

Exemple : . . . .

3. On utilise le subjonctif pour exprimer une cause. → Dialogue(s) ☐ 1 ☐ 2 ☐ 3 ☐ 4

• Une cause est rejetée au profit d'une autre.

Expressions : *ce n'est pas que* + subjonctif, *mais* + indicatif ;

. . . . + subjonctif, ... + indicatif

• Plusieurs causes sont possibles. Cette forme relève du registre soutenu.

Expressions : .... + subjonctif .... + subjonctif ;

.... + subjonctif .... + subjonctif

4. On utilise le subjonctif dans les relatives. → Dialogue(s) ☐ 1 ☐ 2 ☐ 3 ☐ 4

• Il exprime la possibilité.

Exemple : ....

• Il exprime le sentiment, le jugement.

Exemple : ....

• Il exprime la rareté.

Exemple : ....

12. Complétez avec l'indicatif ou le subjonctif. Attention aux temps des verbes.

1. Sarah se sent parfois en décalage avec les comportements des habitants : non qu'elle ....
(méconnaître) la culture de son pays d'accueil mais il lui .... (arriver) d'éprouver des difficultés
à adapter ses réactions.

2. Pour moi, il n'y a rien qui .... (être) plus important que le dialogue entre les cultures.

3. Après avoir passé plus d'un quart de sa vie au Canada francophone et anglophone, il est certain que Mayumi,
qui .... (être) japonaise, ... (avoir) une identité multiple.

4. Ce n'est pas parce que Marco .... (haïr) les musées qu'il n'y .... jamais ....
(mettre) un pied mais plutôt parce que son éducation ne l'y .... pas .... (conduire).

5. Les jeunes ne se passionnent pas pour la culture ? Mais enfin, qu'on leur .... (remettre) un pass
culturel gratuit pour l'ensemble des activités de la ville !

6. Que l'on ne .... (rire) pas des mêmes choses selon les cultures, c'est une évidence.

13. Répondez aux questions suivantes. Respectez l'usage du subjonctif indiqué.

1. Quel est votre musée préféré et pourquoi ? (expression de l'exception dans une relative)

....

....

2. À votre avis, pourquoi certaines personnes ne regardent que les films dans leur version originale ? (cause rejetée
au profit d'une autre)

....

....

La ponctuation

14. 🎧31 Écoutez les témoignages de jeunes nés en France de parents étrangers. Rétablissez la ponctuation
et les majuscules selon les indications.

1. je me sens à la fois française algérienne et polonaise mais plus encore
ma famille est composée de diverses ethnies thaï, polynésienne etc encore
plus d'ingrédients dans le mixeur

Signes	Nombre
.	3
,	3
!	2
( )	1 paire

2. quel bonheur de rentrer au pays mais la joie de l'atterrissage a laissé place
à la frustration dépaysé et dérouté je me sentais étranger dans mon pays
j'étais surnommé le Français

Signes	Nombre
.	3
,	1
!	1
« »	1 paire

Nous améliorons notre style

> ### Comprendre l'humour : jeux de mots et calembours

> **Souvenez-vous**
>
> Le **calembour** est un jeu de mots fondé sur **l'homophonie** (mots identiques à l'oral mais différents à l'écrit), **la polysémie** (les différents sens d'un même mot), **la paronymie** (mots de forme relativement voisine) ou **l'invention d'un mot** proche d'un mot existant.

15. **Lisez les citations humoristiques. Soulignez le(s) mot(s) ou le(s) groupe(s) de mots sur le(s)quel(s) porte le calembour. Précisez le procédé utilisé : homophonie, polysémie, paronymie, invention d'un mot.**
Exemple : « Je suis adroit de la main gauche et je suis gauche de la main droite. » (Devos)
Polysémie portant sur gauche (le côté) et gauche (maladroit) et paronymie portant sur adroit (habile) et droite (le côté).

1. « – Qu'est-ce que vous regardez ? C'est la carte routière ? – Non ! C'est la carte des vins. C'est pour éviter les bouchons ! » (Devos)

   ....

2. « C'est pour satisfaire les sens qu'on fait l'amour ; et c'est pour l'essence qu'on fait la guerre. » (Devos)

   ....

3. « Ce n'est pas dur la politique comme métier. Tu fais cinq ans de droit et tout le reste c'est de travers. » (Coluche)

   ....

4. « La grande différence entre les oiseaux et les politiques, c'est que de temps en temps, les oiseaux s'arrêtent de voler. » (Coluche)

   ....

5. « Écrire sans fautes ou écrire cent fautes ? Certains ont déjà du mal à ce stade. » (Philip Geluck)

   ....

6. « Le progrès : trop robot pour être vrai. » (Jacques Prévert)

   ....

7. « C'est vraiment la francacophonie. » (Marc Favreau)

   ....

8. « Mon Dieu, que votre volonté soit fête ! » (Frédéric Dard)

   ....

16. **Lisez les devinettes et imaginez la réponse. Utilisez des calembours portant sur le(s) mot(s) entre parenthèses.**
Exemple : Quel est le comble pour un maître-nageur ? (bain) *Avoir peur des bains de foule !*

1. Quel est le comble d'un teinturier ? (tache / tâche)

   ....

2. Quel est le comble pour un juge ? (avocat)

   ....

3. Quel est le comble pour une pomme de terre ? (frite / s'effriter)

   ....

4. Quel est le comble pour un footballeur ? (but)

   ....

5. Quel est le comble pour une girafe ? (cou / coup)

   ....

DOSSIER **12** (R)évolutions écologiques

Nous enrichissons notre vocabulaire

Causes et impacts du réchauffement climatique

> Leçon **1**

1. a. 🎧32 **Écoutez les témoignages et classez-les selon le domaine évoqué.**

Les causes du réchauffement climatique : . . . .

Les conséquences du réchauffement climatique : . . . .

Les actions envisagées : *1,* . . . .

b. 🎧32 **Réécoutez. Associez les réponses des experts aux témoignages de l'activité 1a.**

a. Sans même aller jusqu'au concept de décroissance, il est aujourd'hui raisonnable d'affirmer que nous avons suraccumulé les équipements, notamment à usage individuel. → Témoignage n° ….

b. Il faut toutefois ne jamais perdre de vue le pluralisme et la liberté. L'ensemble des interdits ne peut, à terme, être plus vaste que l'ensemble de nos droits. → Témoignage n° ….

c. Il semblerait que la majorité des gouvernements ait pris acte de la réalité du réchauffement climatique. Malheureusement, beaucoup de leaders craignent de perdre le soutien de leur population s'ils adoptent des mesures trop drastiques. → Témoignage n° ….,

d. Effectivement, le dernier rapport de l'ONU sur ce point est alarmiste. De 500 000 à un million d'espèces pourraient disparaître, dont beaucoup dans les prochaines décennies. → Témoignage n° ….

e. Ce qu'il faut bien comprendre, c'est que ce changement annoncé, même s'il paraît faible, aura des répercussions énormes à l'échelle du globe : montée des eaux, catastrophes naturelles, sécheresses, raréfactions de nombreuses ressources, rien ne sera indemne. → Témoignage n° ….

f. D'une certaine manière, on peut dire que la plupart des pays n'ont pas opté pour des mesures coercitives, encourageant plutôt les actes écoresponsables. Les discours cherchent à atteindre les individus, alors que c'est tout le système de production qu'il faut renverser. → Témoignage n° ….

g. Les mesures existantes ne suffisent pas. Moyennant des transactions, chaque filière peut compenser son carbone sans changer ses pratiques. C'est au niveau des processus de fabrication et de production même qu'il faut s'attaquer pour les décarboniser. → Témoignage n° ….

h. Il existe des alternatives intéressantes, c'est vrai. Bien sûr, changer nos pratiques et modes de vie nécessite des efforts, des investissements. C'est en tout cas la voie que de plus en plus de gouvernements prennent, en subventionnant les achats « verts » par exemple. → Témoignage n° ….

2. Complétez l'article avec les formes verbales suivantes au participe passé ou à l'infinitif.

prévoir • impacter • ~~dévoiler~~ • prononcer • mener • encourir • pousser • adopter • rendre compte • atteindre • rehausser

Réchauffement climatique : changer la donne reste-t-il possible ?

Depuis que les experts ont commencé à *dévoiler* leurs premiers rapports sur la hausse des températures au cours des décennies à venir, les recherches . . . . (1) travaillent notamment à des modèles climatiques permettant de . . . . (2) les conséquences . . . . (3) à l'échelle du globe. On sait que de nombreuses espèces, tout comme certaines pratiques humaines, seraient . . . . (4).

Les premiers modèles envisageaient une augmentation maximale de 4,8 °C et déjà l'unanimité des scientifiques s'avérait impossible à . . . . (5). Aujourd'hui, le phénomène de réchauffement climatique s'annonce plus . . . . (6) que prévu selon des experts du GIEC : une équipe vient de . . . . (7) d'une partie de ses recherches et on parle d'une hausse allant jusqu'à 7 °C.

Inutile de le dire : les conséquences tournent alors à la catastrophe. Comment dès lors trouver le consensus scientifique qui, seul, pourra .... (8) les décideurs à agir efficacement ? L'accumulation de preuves convergentes ne suffisait déjà pas précédemment à .... (9) des politiques environnementales fortes, alors si l'on doit .... (10) ses ambitions, notamment en matière de réduction des émissions de gaz à effet de serre, que peut-on légitimement espérer ?

Le climatoscepticisme

> Leçon 2

3. **Associez chaque argument climatosceptique à son explication.**

1. Le réchauffement climatique n'existe pas.

2. L'homme n'est pas responsable du réchauffement climatique.

3. L'ensemble des causes de réchauffement n'a pas été suffisamment exploré.

4. Les modèles « réchauffistes » présentés sont incertains.

5. Le réchauffement climatique sera bénéfique pour l'homme.

6. Les théories « réchauffistes » risquent de mener à une dictature écologiste.

a. La science comme les réponses de nos sociétés comportent des aléas, ainsi des erreurs dans les prévisions peuvent être commises.

b. On voit bien depuis que les mesures existent que la hausse thermique ne suit pas la courbe de production de CO_2.

c. La mise en place de taxes destinées à limiter l'utilisation d'énergies fossiles va mener à l'effondrement de nos économies et à l'appauvrissement de la majorité.

d. De nouvelles activités pourraient permettre de créer beaucoup de richesses et d'emplois, notamment le forage dans certaines régions jusqu'alors trop inhospitalières.

e. Des cycles naturels ont toujours existé dans l'évolution des températures, les dinosaures en ont d'ailleurs fait l'expérience bien avant l'apparition de l'homme.

f. Pour arriver à une modélisation exhaustive, il faut également s'intéresser aux facteurs naturels que sont les paramètres astronomiques de la terre, l'activité volcanique, ou encore l'énergie solaire.

4. **a.** **Associez les huit paires d'expressions antonymes.**

1. la maîtrise d'une question

2. une politique incitative

3. l'obscurantisme

4. un corpus représentatif

5. une attaque *ad hominem*

6. un procès abusif

7. le négationnisme

8. un raisonnement fallacieux

a. la diffusion des connaissances

b. une méconnaissance du sujet

c. un choix de données orienté

d. une démonstration exacte

e. l'acceptation d'une vérité établie

f. une mesure coercitive

g. une mise en accusation légitime

h. une charge idéologique

b. **Choisissez un argument de l'activité 3. Expliquez-le et proposez une contre-argumentation. Utilisez des expressions de l'activité 4a.**

....

....

....

....

....

....

....

....

> Leçons **3** et **4**

Choix politiques et écologie

5. 🎧 ⏵33 **Écoutez la chronique et complétez le tableau d'analyse des gestes présentés.**

Objectif visé	Geste								
	12	14	32	34	36	37	42	43	50
Limiter la pollution des sols et de l'eau									
Préserver l'atmosphère	✔								
Protéger la biodiversité animale									
Économiser les ressources et l'énergie									
Réduire l'empreinte carbone									

mon guide
ecofrugal €⇄
Retrouvez votre pouvoir d'achat en protégeant la planète !
monatelier-ecofrugal.fr

6. **Rédigez la quatrième de couverture du guide *Ecofrugal* : donnez envie aux lecteurs de lire ce guide en présentant quelques-uns des conseils dispensés pour économiser et protéger la planète.**

. . . .

. . . .

. . . .

. . . .

. . . .

Lexique thématique du dossier 12

7. **Lisez les rubriques du lexique. Complétez-les avec des mots et des expressions que vous connaissez.**

La dégradation de la planète

la surpêche
la souffrance animale
l'épuisement des ressources fossiles
la pollution
l'émission de gaz à effet de serre
le dérèglement climatique
une canicule, une sécheresse
la fonte de la banquise
l'acidification des sols / des eaux

Le climatoscepticisme

un(e) climatosceptique
l'obscurantisme
étayer ≠ affaiblir une opinion
recourir à une méthode
mettre en doute l'existence de quelque chose
attaquer une personne / une institution
contester des raisonnements / données scientifiques
nier le changement climatique
une attaque *ad hominem*
un discours négationniste
une méconnaissance du sujet
un raisonnement fallacieux
un choix de données orienté

La lutte contre le réchauffement climatique

un scénario pessimiste
la coopération internationale
le développement durable
la neutralité carbone
la décarbonisation
diversifier les sources d'énergie
végétaliser les villes
un comportement écoresponsable
être impacté(e) / affecté(e) par
élaborer un modèle climatique
des preuves convergentes
rechercher un consensus scientifique

L'écologie politique

une mesure coercitive
l'extension massive du domaine des interdits
la décroissance
se reconvertir dans le vert

Nous perfectionnons notre grammaire

Les combinaisons de négations

8. a. 🎧 ▶34 **Écoutez les témoignages. Dites si les affirmations sont vraies ou fausses et justifiez avec des extraits des témoignages.**

Témoignage 1 :

Exemple : Je continuerai à m'habiller dans les enseignes de la fast fashion. ☐ Vrai ☑ Faux

→ *Je ne mettrai plus jamais un pied chez Zara, Mango ou H&M.*

1. J'avais déjà eu des scrupules à garnir ma garde-robe de vêtements peu coûteux. ☐ Vrai ☐ Faux

....

2. Je me suis fait la promesse de cesser tout achat si je ne savais pas exactement comment le vêtement avait été réalisé. ☐ Vrai ☐ Faux

....

3. Il y a toujours quelqu'un pour me proposer de faire les boutiques ! ☐ Vrai ☐ Faux

....

Témoignage 2 :

4. Mon père a arrêté de manger de la chair animale. ☐ Vrai ☐ Faux

....

5. Il continue de consommer des produits venant des animaux. ☐ Vrai ☐ Faux

....

6. Il ne dit pas ce qu'il pense. ☐ Vrai ☐ Faux

....

7. Il sera encore invité partout ! ☐ Vrai ☐ Faux

....

Témoignage 3 :

8. Aujourd'hui, rien ne justifie d'être propriétaire d'une voiture. ☐ Vrai ☐ Faux

....

9. Tout le monde est prêt à abandonner la voiture. ☐ Vrai ☐ Faux

....

b. Dans les justifications de l'activité 8a, soulignez les combinaisons de négations.

Exemple : Je <u>ne</u> mettrai <u>plus</u> <u>jamais</u> un pied chez Zara, Mango ou H&M.

c. Complétez le tableau.

Combinaisons		Phrase(s)
ne… plus	*jamais*	exemple
ne… jamais		

Souvenez-vous

• Les adjectifs et pronoms indéfinis **de sens négatif** (*rien, personne, aucun, nulle part*) remplacent *pas* et peuvent se combiner avec *jamais* et *plus*.

• Ils peuvent être sujet de la phrase.
Ex. : *Plus personne* ne me propose de virées shopping !

• Aux temps composés et devant un infinitif :
– *Rien, jamais, plus* se placent avant le participe passé et avant l'infinitif.
Ex. : *Il ne sera **plus jamais** invité nulle part. / **Ne plus jamais** rien acheter.*
– *Personne, nulle part, aucun(e)* se placent après le participe passé et après l'infinitif.
Ex. : *Il ne sera plus jamais invité **nulle part**. / Ne voir **personne**.*

9. 🎧▸35 **Écoutez les déclarations. Complétez-les en imaginant une évolution. Utilisez des combinaisons de négations variées.**

Exemple : Il y a un siècle, on respectait encore la faune et la flore.
→ Avec l'évolution de nos modes de vie, *on **ne** respecte **plus** suffisamment **ni** l'une **ni** l'autre.*

1. Maintenant, ...

2. Mais dans quelques années, ...

3. Depuis que j'ai vu un documentaire sur les bienfaits du commerce d'occasion, ...

   . . . .

4. Je crains que d'ici quelques années, ...

5. Depuis que les champs autour de chez elle sont arrosés de pesticides, ...

6. Depuis que je me suis installé une application pour calculer mon empreinte carbone, ...

   . . . .

10. **À la manière des témoignages de l'activité 9, décrivez un comportement que vous avez adopté pour protéger l'environnement. Utilisez des combinaisons de négations variées.**

   . . . .

   . . . .

   . . . .

   . . . .

L'omission de la négation

11. **a.** **Soulignez les phrases qui relèvent du registre soutenu et encadrez celles qui relèvent du registre familier.**

   1. J'arrête pas de lire des articles super trash sur l'état des océans. / Je ne cesse de lire des articles alarmistes sur l'état des océans.

   2. La maire du village n'ose imaginer la réaction d'une partie des viticulteurs à l'annonce de l'interdiction prochaine du glyphosate. / La maire du village ose pas imaginer ce que vont dire les viticulteurs quand elle va annoncer qu'on interdira bientôt le glyphosate.

   3. Pourrons-nous contenir la hausse des températures ? J'en sais rien. / Je ne sais que répondre.

   4. Il peut plus supporter ceux qui disent que le réchauffement climatique existe pas. / Il ne peut tolérer le déni du réchauffement climatique.

   b. **Complétez la règle.**

   1. Au registre soutenu, après les verbes . . . ., ..., ...,

      . . . ., on peut supprimer le *ne*.

   2. Au registre . . . . et souvent à l'oral, on supprime souvent le *ne* de la négation.

12. Réécrivez le texte au registre soutenu. Utilisez les verbes *cesser, oser, savoir* et *pouvoir*.

Myriam se croyait écolo et organisait sa vie qu'en fonction de ça. Elle était fière de sa nouvelle voiture électrique bleu métallisé mais elle a pas su quoi répondre quand un de ses amis lui a dit que la fabrication de sa nouvelle bagnole était pas si écolo que ça. Comme elle a pas eu le courage de débattre avec son ami, elle a préféré se taire. Par contre, lui, il a pas arrêté de lui envoyer des vannes toute la soirée.

Myriam ne pouvait s'empêcher d'organiser sa vie en fonction de son pseudo engagement écologique.

. . . .

. . . .

. . . .

. . . .

L'usage de *tout* : adjectif, pronom ou adverbe

13. Lisez le post de l'association. Complétez les usages de *tout* avec les exemples du texte.

Bonjour tout le monde (1) !
L'association Mtaterre invite tous les lycéens (2) à participer à une réunion d'information au sein de l'établissement.
La politique des « tout » petits pas (3) n'a aucun sens, avancer tout doucement (4) ne sert à rien, aussi mener des actions concrètes rapides nous paraît crucial :
– tous les jours (5) : utilisation de moyens de transports doux pour venir au lycée ;
– toutes les deux semaines (6) : grand nettoyage collectif d'un espace naturel de la ville ;
– une fois par mois : organisation d'une manifestation pacifiste pour alerter les adultes sur leur inaction et tous les (7) inviter à nous rejoindre dans notre combat.
Comme nous sommes toutes (8) et tous (9) fatigués des discours politiques pseudo écologistes et que nous les trouvons tous (10) inutiles et inefficaces, cessons de nous lamenter tout seuls (11) dans notre coin et agissons collectivement !
Toutes celles (12) et tous ceux (13) qui souhaitent lutter activement pour l'avenir de la planète trouveront les moyens de le faire au sein de notre toute récente (14) association. Nous espérons la mobilisation de la communauté lycéenne tout entière (15) ! Faisons tout (16) pour un avenir meilleur !

- L'adjectif indéfini *tout* s'accorde avec le nom ou le pronom démonstratif qui suit. Il exprime une idée de totalité : n° *1*, . . . , . . . , . . . , d'habitude : n° . . . . ou de périodicité : n° . . . .
- Le pronom indéfini *tout* exprime une idée de totalité.
– Il peut être neutre et représente un ensemble de choses indéterminées. Il est invariable : n° . . . .
– Il peut être pluriel (*tous, toutes*) et reprendre le sujet : n° . . . , . . . ou le COD : n° . . . , . . .
- L'adverbe *tout* signifie *entièrement, totalement, très*. Il est généralement invariable : n° . . . , . . . , . . . , . . . sauf devant un adjectif féminin qui commence par une consonne ou un *h* aspiré : n° . . . .

14. Soulignez la réponse correcte.

1. Amanda était **tout** / **toute** énervée et ses amies **tout** / **toutes** surprises d'avoir entendu des discours climatosceptiques à la conférence sur l'accélération de la fonte des glaces.

2. Dans **tous** / **tout** les scénarios envisagés par le GIEC, la diminution des émissions devra être **tout** / **toute** particulièrement rapide pour parvenir à la neutralité carbone en 2060.

3. La liste des actions concrètes à conduire revêt une importance **tout** / **toute** particulière.

4. Depuis 1995, plus d'une centaine de pays se réunissent **tout** / **tous** les ans lors des COP.

5. Je conseille à **tout** / **tous** ceux et **toutes** / **tout** celles qui font de beaux discours sur l'environnement de calculer leur empreinte carbone.

Nous améliorons notre style

> Raconter le futur et assurer la cohérence dans le discours

15. **a.** Lisez le texte et identifiez le temps des verbes en gras.

Aujourd'hui, je **retourne** (1) pour la première fois dans mon village natal. Je sais que je **vais être** (2) sous le choc car la biodiversité y est tellement malmenée. Dans trois mois, les autorités **procèderont** (3) aux dernières évacuations des habitations du bord de mer, après que nous **aurons publié** (4) les mesures, que je suis sur le point de réaliser. Elles doivent confirmer ce que beaucoup annonçaient, lorsqu'on commençait à comprendre qu'on allait devoir s'adapter, que le futur **s'avèrerait** (5) bien différent des futurs d'avant, surtout une fois qu'on **aurait** enfin **décidé** (6) de préférer l'avenir au présent... La ligne côtière **aura** sans doute encore **perdu** (4) du terrain... et bientôt ce qui reste du port **aura disparu** (4). Vous **resterez** (3) bien discrète, m'ont-ils dit, de peur que les locaux ne s'en prennent à moi...

1. . . . . 4. . . . .

2. . . . . 5. . . . .

3. . . . . 6. . . . .

b. Associez les temps identifiés et les trois formes soulignées dans l'activité **15a** à leur valeur dans le texte.

1. Présent

2. Futur proche

3. Futur simple

4. Futur antérieur

5. Semi auxiliaires (*devoir* + inf. / *être sur le point de* + inf.)

6. *Aller* à l'imparfait + inf.

7. Conditionnel présent

8. Conditionnel passé

a. Événement presque immédiat ou envisagé comme certain

b. Fait accompli avant un autre fait futur / Expression d'une probabilité à venir

c. Faits à valeur de futur proche

d. Futur simple dans le passé

e. Expression d'une réalité future / Atténuation d'un ordre

f. Futur antérieur dans le passé

g. Expression d'une action proche presque commencée

h. Futur proche dans le passé

Souvenez-vous

- **Le futur simple** indique une réalité future et s'accompagne généralement d'une expression de temps.
- **Le futur proche** exprime l'intention du locuteur et sa certitude pour le futur.

16. Entourez la forme verbale correcte.

Ce soir, je **fais / allais faire** (1) la première mission qui me **permettra / permettrait** (2) ou non de rentrer dans l'organisation secrète ECO+. Voici le plan dicté par Luca : « À vingt-deux heures, tu **t'approcheras / es sur le point de t'approcher** (3) de la ferme d'élevage intensif et tu **vas libérer / libèreras** (4) tous les poulets. Une fois que tu **vas faire / auras fait** (5) ça, tu nous **auras envoyé / enverras** (6) le texto suivant : *ça roule ma poule*. On **comprendra / aura compris** (7) alors que tu as réussi et on **se chargera / doit se charger** (8) du reste... » Je **vais mener / mènerai** (9) une action pour ECO+. Dans quelques heures, les poulets **auraient été libérés / auront été libérés** (10) et moi, j'**aurai basculé / basculerais** (11) dans l'activisme écologiste ! Tous pensaient que je **reprendrais / reprendrai** (12) l'exploitation familiale après que j'**allais terminer / aurais terminé** (13) mes études d'ingénieur agronome. Je suis **sur le point d'accomplir / accomplirai** (14) ce qui **décidera / aura décidé** (15) de mon avenir...

17. Continuez le récit de la deuxième mission dictée par Luca le chef de la bande. Utilisez un maximum de temps identifiés dans l'activité **15b**.

*Ce soir, on **rend** la station-service à la nature. Luca nous a indiqué qu'on **allait la végétaliser** des pieds à la tête...*

STRATÉGIES

Production guidée : l'article informatif

1. Vous devez écrire un article informatif sur un projet architectural innovant lancé à Bordeaux. Choisissez le plan le plus adapté.

☐ 1. divers atouts de la construction – description générale du projet – caractéristiques du nouveau bâtiment

☐ 2. description générale du projet – caractéristiques du nouveau bâtiment – divers atouts de la construction

☐ 3. description générale du projet – divers atouts de la construction – caractéristiques du nouveau bâtiment

2. Reformulez le titre de manière à le rendre accrocheur.

La ville de Bordeaux construit la plus haute tour de France en bois et pas en béton.

. . . .

3. Reformulez le chapeau en hiérarchisant les informations de la plus importante à la moins importante.

Le pin est un matériau plus léger, plus écologique et plus rapide à monter que d'autres. C'est celui issu des forêts de Corrèze qui a été choisi pour construire le plus haut bâtiment de France à Bordeaux, et dont la première poutre a été posée la semaine dernière.

4. Écrivez la légende de la photo illustrant l'article. Utilisez les éléments suivants :

tour d'habitation Hypérion • la plus haute construction en bois de France • livraison : dans un an

. . . .

. . . .

. . . .

5. Lisez les notes. Indiquez si elles correspondent à l'accroche ou à la chute. Justifiez votre choix.

1. Renouveau architectural ? Norvège, mars 2019 : inauguration de la plus haute tour en bois du monde (85,4 mètres). Ambition des Japonais : construction d'un gratte-ciel en bois d'ici cinq ans (350 mètres de haut) !

2. Bois considéré comme un matériau vulnérable dans l'imaginaire collectif (ex. : conte populaire des *Trois Petits Cochons*).

6. Lisez les idées à développer dans chaque paragraphe. Mettez-les dans l'ordre en fonction du plan que vous avez choisi (activité 1).

☐ 1. La tour : 98 logements, 16 étages. Architecte : Jean-Paul Viguier. Coût du projet : 17,9 millions d'euros. Appartements : entre 60 et 100 m², 3 800 euros le mètre carré en moyenne. Ressemblance : Kapla géant végétalisé (balcons, jardins suspendus).

☐ 2. Atout essentiel dans le contexte actuel : impact carbone moindre. 45 % de moins qu'un bâtiment traditionnel. Autres atouts : moins de bruit pendant les travaux. Plus rapide à monter.

☐ 3. Projet de la ville de Bordeaux : construction de la tour en pin Hypérion (nom de l'arbre le plus haut du monde), 55 mètres, dans le cadre de la rénovation du quartier Saint-Jean Belcier. Livraison : dans un an. Record de hauteur en France pour un bâtiment en bois.

7. Rédigez le corps de l'article en 250 mots environ : l'accroche, trois paragraphes et la chute. Appuyez-vous sur les informations données dans les activités 5 et 6.

STRATÉGIES

Production guidée : l'essai argumentatif

1. Analysez le sujet : entourez le thème (= ce dont on parle) et encadrez la thèse (= ce qu'on dit du thème).

Sans gluten, sans sel, sans cuisson, sans produits d'origine animale : les régimes spécifiques sont de plus en plus à la mode. Il s'agit de choix individuels qui créent aussi l'engouement de petits groupes. Mettent-ils en danger le vivre ensemble ?

> **Souvenez-vous**
>
> Le thème est souvent précisé dans l'intitulé du sujet.

2. Entourez les éléments corrects pour formuler une problématique.

Peut-on de nos jours / Doit-on dans le futur / Pourquoi toujours vivre conformément à ses choix alimentaires *en préservant la convivialité ? / sans mettre en danger l'entre-soi ? / en les imposant aux autres ?*

> **Souvenez-vous**
>
> La problématique est toujours une question qui n'a pas de réponse évidente et qui contient une contradiction ou au moins une tension.

3. Lisez les notes et complétez le plan dialectique.

1. En France : choucroute et salade niçoise compatibles !
2. Table = lieu de convivialité où on doit refuser les débats enflammés.
3. Goûts propres à des choix plus idéologiques.
4. Moins d'espace pour le dialogue → collectif amoindri.
5. Nécessité d'un consensus pour préserver l'unité.
6. Pas de viande à table, végans et non végans restent ensemble.
7. Par exemple : les végans.
8. Diversité des goûts dans toutes les cultures et les communautés.
9. Nourriture qui fait partie du plaisir à « être ensemble », partage.

Thèse

Argument : *3*

Exemple : . . . .

Conclusion intermédiaire et transition vers l'antithèse : . . . .

. . . .

Antithèse

Argument : . . . .

Exemple : . . . .

Conclusion intermédiaire et transition vers la synthèse : . . . .

. . . .

Synthèse

Argument : . . . .

Exemple : . . . .

Conclusion intermédiaire : . . . .

. . . .

4. Au brouillon, ajoutez des arguments et des exemples personnels dans chaque partie et rédigez l'essai argumentatif à partir du plan dialectique.

STRATÉGIES

Le billet d'humeur : réagir à une tendance

1. Lisez le billet d'humeur et cochez ses caractéristiques.

http://www.monblog.fr/blogdeMarius

Étudier la médecine à l'étranger, c'est pas pour les nuls !
Je me suis réveillé hier matin, LA révélation imprimée sur toutes les cellules de mon cerveau : JE DOIS PARTIR ! Étudier ailleurs, étudier autrement. Larguer les amarres. Partir m'ont dit mes proches ? Mais partir où ? Ah, le monde inconnu, leur ai-je dit... Pas de panique, je ne vais pas à l'autre bout du monde, seulement en Belgique. Mais tu t'en crois capable ont-ils insisté ? Eh bien oui, papa, maman, papi, mamie, oui. Il faut le vouloir pour le pouvoir. Être capable de vivre en autonomie (hum, financièrement et psychologiquement soutenu je veux dire, merci ma famille adorée), être organisé, ouvert envers d'autres cultures, d'autres manières de voir les choses. Bref, tout moi : je crois en mes rêves plus qu'en mes peurs... !
Mais pourquoi, pourquoi a répété mamie... Car le système NE ME VA PAS ! Je veux évoluer dans un système moins compétitif, pas moins excellent, plus diversifié et plus progressif ce qui me permettra de mieux m'approprier les notions primordiales. Je résume : la Belgique, c'est tout ça, et sans concours d'entrée ! Par conséquent quand tu es en première année, tu es VRAIMENT EN MÉDECINE ! Alors, ça n'intéresse que moi ? Pas si sûr...

1. Ce billet d'humeur traite ☐ des études de médecine. ☐ des avantages à étudier la médecine à l'étranger.

2. Le sujet est ☐ général. ☐ précis.

3. Son auteur ☐ donne son point de vue. ☐ informe.

4. Ce billet d'humeur contient ☐ des éléments anecdotiques. ☐ des références à l'actualité.

5. Le ton est ☐ conventionnel. ☐ polémique.

6. Le registre est parfois ☐ soutenu. ☐ familier.

2. Relisez le billet d'humeur et répondez aux questions.

1. Par quel procédé l'auteur introduit-il son billet ? . . . .

2. Quelle est la fonction principale des éléments autobiographiques utilisés ?

. . . .

3. Comment l'auteur établit-il une forme de complicité avec le lecteur ? Relevez et expliquez le passage qui invite le lecteur à se prononcer.

. . . .

. . . .

4. Selon vous, ce texte engage-t-il son auteur ? Relevez des marques de la présence de l'énonciateur dans l'article pour justifier votre réponse (vocabulaire expressif, ton, registres, structures…).

. . . .

. . . .

3. a. Vous écrivez un billet d'humeur sur le non-remplacement du médecin de votre quartier parti en retraite. Répondez aux questions suivantes sous forme de notes.

1. En quoi la situation vous touche-t-elle ? Que représente ce médecin pour vous ?

2. Avez-vous un souvenir ou une anecdote sur lui à partager ?

3. Quel sentiment et quelle opinion souhaitez-vous communiquer à vos lecteurs ?

b. Choisissez un titre et une chute.

c. À partir de vos notes, rédigez votre billet d'humeur.

L'exposé oral : présenter une œuvre d'art

1. 🎧►36 Écoutez l'introduction de l'exposé sur l'œuvre ci-contre. Entourez les éléments corrects du résumé.

1. L'exposé concerne **Henri Matisse** / **une peinture** / **un courant pictural**.

2. L'exposé a pour but de **décrire l'œuvre** / **donner ses impressions** / **démontrer comment l'œuvre a participé à moderniser l'art**.

3. La présentation comportera **deux** / **trois** / **quatre** parties.

2. Numérotez les parties dans l'ordre de l'exposé.

☐ Des règles nouvelles de l'espace grâce à la danse

☐ La description de l'œuvre

☐ Couleurs saturées du fauvisme et style candide

3. 🎧►37 Écoutez les extraits de l'exposé. Cochez Vrai ou Faux et justifiez.

1. La description de l'œuvre est argumentative.   ☐ Vrai   ☐ Faux

Justification : . . . .

2. Le locuteur fait des pauses car il manque d'idées.   ☐ Vrai   ☐ Faux

Justification : . . . .

3. Il utilise un accent d'insistance sur des organisateurs du discours.   ☐ Vrai   ☐ Faux

Justification : . . . .

4. Classez ces expressions selon leur fonction dans l'exposé oral :

Mon exposé aujourd'hui • Je veux vous montrer • Je commencerai • Regardons pour commencer • vous pouvez voir • regardez de plus près • Parlons à présent de • que je viens d'évoquer • Penchons-nous maintenant sur • n'oublions pas que • remarquez que • Notez aussi que • Pour conclure

1. Pour indiquer le début de chaque partie : . . . .

. . . .

2. Pour inviter à regarder des détails de l'œuvre : . . . .

. . . .

3. Pour attirer l'attention sur un élément important : . . . .

. . . .

4. Pour faire référence à des propos qui précèdent ou qui suivent : . . . .

. . . .

5. a. Observez ce portrait de femme réalisé par Seanbear et préparez un exposé oral.

1. Décrivez l'œuvre.

2. Commentez les couleurs et les tracés du tableau.

3. Parlez de la position et du mouvement du corps.

4. Rédigez l'introduction et la conclusion.

b. Enregistrez votre exposé.

Jouez sur la prosodie afin de donner du relief à votre exposé.

Production guidée : le manifeste

1. Les seniors demandent à être traités comme les autres citoyens dans l'espace public. Rédigez le manifeste du collectif « Les *pas si vieux* en colère . Cochez ses caractéristiques.

    1. Qui s'exprime dans ce manifeste ?

        ☐ je   ☐ nous   ☐ ils

    2. À qui s'adresse-t-il ?

        ☐ au gouvernement   ☐ aux autorités locales   ☐ aux policiers   ☐ aux seniors   ☐ à l'ensemble de la population

    3. Quels sont les objectifs du document ?

        ☐ informer   ☐ dénoncer   ☐ inciter à l'engagement   ☐ manifester

2. Trouvez un titre adapté au manifeste en choisissant un élément dans chaque colonne.

Mon manifeste pour	un souhait	de traitement	équitable !
Notre manifeste pour	une exigence	de reconnaissance	cordial(e) !
Leur manifeste pour	une demande	de discours	identique !

3. Associez les extraits du manifeste à chaque partie du plan.

    a. Nous ne voulons plus être considérés comme des individus simplement séniles ou sourds !

    b. Mobilisez-vous à nos côtés !

    c. Nous, personnes de 60 ans et plus, n'acceptons plus le traitement dont nous faisons l'objet.

    d. Pour faire entendre notre ras-le-bol, nous n'avons pas peur d'agiter les rues.

    e. Accepteriez-vous d'être traités d'une manière aussi stigmatisante ?

    f. Nous attendons la simple ÉGALITÉ.

    1. La situation dénoncée : *c*, ...

    2. Les demandes : ....

    3. Les actions envisagées : ....

    4. Un appel au soutien : ....

4. Complétez la liste des demandes possibles des seniors.

    1. Dans les transports publics et dans les files d'attente : *ne pas être vus comme handicapés, perdus,* ....

    2. Dans les lieux de service public : *ne pas être considérés comme séniles, sourds,* ....

    3. Auprès des commerçants : *être perçus comme des clients normaux, à la mode,* ....

5. Indiquez s'il s'agit d'une situation dénoncée ou d'une action envisagée.

	Situation dénoncée	Action envisagée
Exemple : Blocage à trottinette des boulevards principaux.		✔
1. Brouillage des réseaux Wi-Fi du métro aux heures de pointe.		
2. Représentation collective des seniors comme individus physiquement diminués.		
3. Grève du sourire sur la voie publique.		
4. Trop de pitié et de condescendance envers les plus de 60 ans.		
5. Traitements infériorisants et infantilisants.		
6. Boycott des places assises dans les transports en commun.		

6. Reformulez l'appel au soutien du collectif pour le rendre mobilisateur.

S'il vous plaît, pourriez-vous venir afin de nous aider à rendre la population consciente de notre situation. Vous pouvez par exemple signer la pétition en ligne sur notre site : www.passivieuxencolère.fr.

7. Rédigez le manifeste du collectif « Les *pas si vieux* en colère ». Ajoutez des idées personnelles.

Production guidée : la lettre de motivation

1. Vous rédigez une lettre de motivation pour une candidature spontanée à un poste de tuteur de français dans l'université de votre ville. Cochez le plan adapté à cette lettre.

☐ 1. Résumé de votre CV – Informations biographiques – Adéquation de votre profil avec l'entreprise – Demande de rendez-vous

☐ 2. Introduction de votre candidature – Présentation de vos qualités essentielles – Résumé de votre parcours – Adéquation de votre profil avec l'entreprise

☐ 3. Introduction de votre candidature – Résumé de votre parcours et de vos compétences – Adéquation de votre profil avec l'entreprise – Information sur votre disponibilité

2. Rédigez le paragraphe introducteur de votre lettre de motivation avec les expressions suivantes :

saison estivale • sur la recommandation du professeur de Linguistique du département de français • adresser ma candidature • posséder des compétences et une expérience adaptées • poste de tuteur / tutrice de français

. . . .

. . . .

. . . .

3. Classez les informations suivantes dans les rubriques.

DALF C1 • passionné(e) par la chanson et le cinéma français • cours particuliers à des lycéens • échange universitaire à Lille • cours de français niveau avancé • au pair en Belgique francophone • famille en Bretagne • licence de littérature francophone

Formation : . . . .

Expérience professionnelle : . . . .

Informations personnelles : . . . .

4. Associez les formes verbales aux compétences personnelles et professionnelles. Plusieurs réponses sont possibles.

Être doté(e) de/d' •   • clarté et rigueur
Avoir le sens de/d' •   • transmettre ses connaissances
Faire preuve de/d' •   • le système phonétique français
Avoir des capacités à •   • les responsabilités
Savoir •   • solides connaissances en pédagogie
Maîtriser •   • expliquer des points difficiles
                                 • une bonne aptitude à communiquer

5. Notez brièvement vos motivations.

1. Ce qui vous intéresse dans le poste de tuteur : . . . .

. . . .

2. Ce qui vous intéresse dans un poste à l'université : . . . .

. . . .

6. Entourez les éléments adaptés au dernier paragraphe de votre lettre de motivation.

Je vous remercie sincèrement de l'attention / Merci pour l'attention que vous accorderez à **ma demande / ma candidature**. Je me tiens à votre disposition pour vous expliquer / Je voudrais vous expliquer plus en détails ma motivation à **rejoindre votre équipe en tant que tuteur / occuper le poste de tuteur**.

7. Rédigez votre lettre de motivation selon le plan choisi dans l'activité **1**. Ajoutez la formule d'appel et la formule de politesse finale.

STRATÉGIES

Argumenter à l'oral

1. a. 🎧▸38 Écoutez la première intervention dans un débat sur la chasse et dites comment est le locuteur.

Le locuteur est : ☐ neutre ☐ pro-chasse ☐ anti-chasse.

b. Soulignez les arguments en faveur de la chasse.

1. Une communion avec la nature.

2. Une pratique qui régule la nature.

3. Un partage intergénérationnel.

4. Un héritage historique.

5. Une activité populaire et encadrée.

6. Un sport en pleine nature.

2. 🎧▸39 Écoutez la deuxième prise de parole du débat.

a. La locutrice est-elle en accord ou en désaccord avec le premier locuteur ? Justifiez.

....

b. À quel argument de l'activité 1b la locutrice répond-elle ?

....

3. Associez les réfutations suivantes aux arguments de l'activité 1b.

a. Pas besoin de tuer pour faire de l'exercice. → . . . .

b. La transmission passe par d'autres moyens. → . . . .

c. Les capacités des chasseurs ne sont jamais vérifiées avec l'âge. → . . . .

d. Aujourd'hui, on peut se nourrir sans chasser. → . . . .

e. L'amour de notre environnement ne justifie pas les armes. → . . . .

f. Les problèmes de surnombre peuvent être réglés autrement. → . . . .

4. Classez les expressions suivantes dans les rubriques.

Il me semble que vous faites erreur. • ~~Vous avez dit que…~~ • Permettez-moi d'insister sur… • Je m'inscris en contre. • Je peux vous opposer l'argument selon lequel… • Vous avancez un argument selon lequel… • On a entendu que… • Je crois que vous oubliez que… • Vous y croyez sincèrement ?

1. Pour rappeler ce qui a été dit : *Vous avez dit que…*, ...

. . . .

2. Pour exprimer son désaccord : . . . .

. . . .

3. Pour introduire sa réfutation : . . . .

. . . .

5. Vous prenez position contre un des arguments de l'activité 1b.

1. Écrivez une phrase de désaccord.

. . . .

2. Trouvez un exemple pour votre argument.

. . . .

3. Développez votre réfutation avec des expressions de l'activité **4**. Enregistrez votre prise de parole.

Résumer un document oral

1. 🎧 ▶40 **Écoutez et cochez la / les bonne(s) réponse(s).**

1. Il s'agit d'un discours essentiellement : ☐ argumentatif ☐ narratif ☐ informatif
☐ descriptif ☐ explicatif.

2. Il traite : ☐ des difficultés de l'orthographe ☐ des réformes de l'orthographe
☐ des difficultés à réformer l'orthographe dans la langue française.

3. Les quatre mots-clés du discours sont : ☐ réforme ☐ orthographe ☐ grammaire ☐ enseignement
☐ résistance ☐ Académie française ☐ conservatisme.

4. Le ton de l'auteure est : ☐ neutre ☐ engagé.

2. 🎧 ▶40 **Réécoutez et indiquez l'ordre d'apparition des faits dans le discours.**

...... a. Attachement des Français à la stabilité de l'orthographe de leur langue.

...... b. Entre 1901 et 1990, rejet et mépris pour toute réforme proposée.

...... c. Résistance aux réformes entraînant une absence de simplifications orthographiques depuis deux siècles.

...... d. Conservatisme expliqué par un apprentissage fastidieux.

...... e. En 1901, adoption d'une loi de tolérance orthographique sans grand impact.

...... f. La réforme de 1990 n'a été appliquée qu'en 2016.

...... g. Dernière réforme significative à la fin du XVIIIᵉ siècle.

...... h. Malgré une opposition virulente de la part de personnalités françaises éminentes, adoption d'une réforme en 1990.

...... i. Opposition de professionnels de la langue et de l'Académie française à des simplifications proposées à la fin du XIXᵉ siècle.

3. Parmi les faits de l'activité 2, indiquez dans l'ordre d'apparition :

1. Les trois idées principales : *c*, ...

2. Les cinq idées secondaires : *g*, *e*, ...

3. L'exemple : ....

4. Classez les idées principales et secondaires dans les parties du résumé. Respectez leur ordre d'apparition.

1. Constat initial de la fixité du français : *c*

2. Essais de réforme inefficaces : *g*, *e*, ...

3. La réforme de 1990 : ...., ...

4. Les raisons du conservatisme : ...., ...

5. Écrivez le résumé en 120 mots (+/− 10 %). N'oubliez pas d'utiliser des organisateurs textuels.

> ### Souvenez-vous
>
> Le résumé représente en général 25 % du texte initial.
>
> - **Restituez** uniquement **les idées essentielles**, éliminez les exemples.
> - **Reformulez** avec vos propres mots les idées essentielles et utilisez **les mots-clés**.
> - **Retranscrivez le ton** lorsque c'est possible.
> - Ne changez ni **l'énonciateur** ni **les temps verbaux**.

STRATÉGIES

Expliquer un document scientifique à un public non spécialiste

1. Vous souhaitez présenter et expliquer le dispositif suivant à un public n'ayant aucune connaissance préalable dans ce domaine.

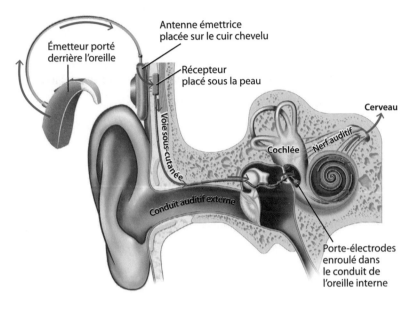

a. Entourez le titre correspondant le mieux à votre présentation de cette innovation médicale.

1. Révolution en matière d'implants acoustiques dans l'oreille interne

2. Fonctionnement du système à électrodes cochléaires

3. Entendre à l'aide d'implants

b. Quel est le public visé par cette innovation ?

. . . .

c. À votre avis, en quoi cette innovation diffère-t-elle des appareillages existants ?

. . . .

. . . .

2. Associez le texte de la légende à sa fonction.

1. Émetteur / antenne émettrice
2. Récepteur
3. Voie
4. Porte-électrodes

a. Un fil qui conduit le signal sonore

b. Composant qui transfère le signal sonore au nerf

c. Composant qui envoie le signal sonore

d. Composant qui reçoit le signal sonore

3. Soulignez les cinq parties anatomiques devant être mentionnées dans votre explication.

l'oreille • le cuir chevelu • la peau • le conduit auditif externe • la cochlée • le conduit de l'oreille interne • le nerf auditif • le cerveau

4. Indiquez à quelle fonction de la liste correspondent les extraits de la présentation.

Expliquer • Commenter un point de vue • Émettre poliment une réserve • Anticiper un malentendu • Rappeler une connaissance préalable • Faire une comparaison avec quelque chose de connu

1. Même s'il s'agit d'une procédure plutôt simple, il faut être clair : la pose de ce dispositif passe par une intervention chirurgicale et nécessite ensuite une période de rééducation avant d'obtenir tous les résultats espérés.

   → . . . .

2. En d'autres termes, l'implant sous la peau permet d'amener directement le signal sonore là où il faut, c'est-à-dire au nerf auditif qui le conduit à son tour au cerveau qui l'interprétera.

   → . . . .

3. La manière dont le son arrive finalement au cerveau pourrait être comparée à l'électricité qui arrive à la lampe.

   → . . . .

5. Rédigez la présentation de l'innovation médicale illustrée par le schéma.

STRATÉGIES

Production guidée : la dissertation

1. a. Complétez la reformulation du sujet avec les mots :

passé • oubli • définit • cependant • comme • conscience

.... notre .... peut être lourd à porter, l'......................

apparaît parfois comme une solution........................., c'est la .... de ce même

passé qui nous .... en partie.

b. Choisissez la problématique.

☐ Comment concilier oubli et souvenir pour aller de l'avant ?   ☐ Pourquoi faut-il oublier le passé ?

2. Lisez les notes et complétez le plan thématique.

> 1. Le passé peut étouffer, empêcher d'avancer.
> 2. Revisiter son passé peut aider à résoudre des difficultés.
> 3. Exemple : Avec le pardon on se réconcilie et on parvient à l'apaisement.
> 4. Exemple : On apprend de ses erreurs, on fait mieux à l'avenir.
> 5. L'oubli est une illusion : la mémoire peut être incontrôlable.
> 6. Exemple : Pathologies (amnésie, Alzheimer, etc.), rêves, surgissement de souvenirs, etc.
> 7. Exemple : Chaque histoire contient de l'idéalisation et de la reconstruction.
> 8. Exemple : Regrets et remords « toxiques », nostalgie qui bloque.
> 9. L'oubli permet d'arrêter de se battre donc de survivre.
> 10. Oublier certains éléments permet de développer d'autres souvenirs.
> 11. Les souvenirs font aller de l'avant : on apprend de son passé et on se construit.
> 12. Exemple : Rendre hommage permet le deuil et favorise la socialisation.

1ʳᵉ partie : L'oubli nécessaire

Argument 1 : *Le passé peut étouffer, empêcher d'avancer.*

Exemple 1 : *Regrets et remords « toxiques », nostalgie qui bloque.*

Argument 2 : ....

Exemple 2 : ....

2ᵉ partie : L'oubli impossible

Argument 1 : ....

Exemple 1 : ....

Argument 2 : ....

Exemple 2 : ....

3ᵉ partie : S'emparer autrement de son passé pour se construire

Argument 1 : ....

Exemple 1 : ....

Argument 2 : ....

Exemple 2 : ....

3. Au brouillon, ajoutez des arguments et des exemples personnels dans chaque partie et rédigez l'essai argumenté à partir du plan thématique.

Production guidée : l'article explicatif

1. Vous écrivez un article explicatif sur un centre commercial de la Côte d'Azur d'un genre inédit en France. Mettez dans l'ordre les trois parties du plan.

☐ Une démarche qui cherche à allier commerce et culture

☐ Un premier bilan prometteur

☐ Un nouveau centre commercial à l'abord unique

2. Choisissez le titre le plus accrocheur.

1. À Cagnes-sur-Mer, Polygone Riviera ouvre grand ses portes aux créateurs

2. Polygone Riviera, la dernière ruse du grand commerce sur la Côte d'Azur ?

3. Polygone Riviera : un centre commercial où l'art contemporain est roi

3. Rédigez le chapeau de l'article à l'aide des notes suivantes. Hiérarchisez les informations de la plus importante à la moins importante.

Centre Polygone Riviera implanté près de Nice. Aller faire ses courses comme on irait au musée. Collection permanente d'une dizaine d'œuvres d'art contemporain ainsi que des expositions temporaires. Que font les centres commerciaux des œuvres d'art ?

4. Lisez les informations et indiquez s'il s'agit de l'accroche ou de la chute.

1. Pour Jérôme Sans, c'est « l'avènement d'une nouvelle génération de lieux de consommation ». Remplacer les panneaux publicitaires par des peintures de Ben, ce n'est plus transformer l'œuvre en objet, c'est la rendre consommable. → . . . .

2. L'arrivée est inédite : un grand parc, des œuvres d'art, une atmosphère presque contemplative et… des boutiques.
→ . . . .

5. Lisez les informations et les citations. Classez-les dans le tableau.

1. Inspiration née des alentours niçois qui fourmillent de musées et de fondations avec des possibilités de partenariats.

2. Fontaines musicales, onze œuvres contemporaines achetées, espace de 70 000 m², parc arboré, quatre espaces distincts (dont un multiplexe de dix salles de cinéma et un casino), place faite à des créateurs moins connus.

3. Président de la société : « Espace de promenade seul ou en famille autour d'œuvres d'art, offrant bien plus qu'un lieu de shopping visité par 10 millions de personnes. » Jérôme Sans, directeur artistique : faire de Polygone Riviera « l'écho de ceux qui font la culture dans la région ».

4. Plus de 7 millions de visiteurs par an, opportunité pour des artistes comme Philippe Ramette : « ces expériences ont permis de renverser les choses, ce n'est plus le public qui vient à ma rencontre, mais l'inverse. C'est très stimulant. »

5. Concurrence du centre commercial historique à proximité : à défaut d'œuvres d'art, expansion, modernisation et nombre d'enseignes doublé sous peu.

6. Parcours pédagogique proposé pour guider les visiteurs dans la promenade artistique de ce complexe.

	Description du fait	Formulation des causes et buts recherchés	Présentation des conséquences et résultats
Informations	....., ...	....., ...	....., ...

6. Rédigez le corps de l'article selon le plan choisi et en tenant compte de l'ensemble des activités (environ 400 mots).

Production guidée : bâtir un discours

1. 🎧 ▶41 **Écoutez l'extrait du discours d'un élu à l'occasion du lancement de l'Office français pour la biodiversité (OFB). Numérotez les parties dans l'ordre du discours.**

☐ L'impact du réchauffement climatique sur le monde de la montagne

☐ La reconnaissance du travail accompli

☐ L'appel à combattre pour la survie de l'espèce humaine

☐ Les conséquences du réchauffement sur la biodiversité

2. **Entourez les cinq sous-thèmes récurrents dans le discours.**

La fonte des glaciers • La disparition de la biodiversité • Le travail fourni pour lancer l'OFB • Les mesures adoptées • Les prévisions du GIEC • La réalité du réchauffement climatique • L'urgence de la situation • La nécessité de combattre

3. **Lisez les extraits et associez-les au procédé employé.**

1. … nous avons pu toucher du doigt, mesurer, rendre tangibles les sujets dont nous parlons

2. … la trace en effet de ce réchauffement, de ces dérèglements et au fond, du basculement de tout un écosystème

3. … c'est une pédagogie collective que de la montrer à nos concitoyens si d'aucuns devaient encore douter ou si certains pouvaient penser que tout cela peut attendre

4. Je parle sous le contrôle de personnes beaucoup plus expertes que moi.

5. Ce combat pour la biodiversité, c'est pour stopper […]. Ce combat pour la biodiversité, c'est d'abord […]. Ce combat pour la biodiversité, c'est aussi […].

a. une gradation

b. une anaphore[1]

c. une accumulation

d. un sous-entendu

e. une recherche de connivence avec l'auditoire

1 Répétition d'un mot ou groupe de mots en tête de phrase à des fins emphatiques.

4. a. Lisez quelques principes proposés par un leader écologiste français. Complétez le plan d'un discours inspiré de ces principes.

1. Le temps est venu, ensemble, de poser les premières pierres d'un nouveau monde.
2. Le temps est venu de transcender la peur en espoir.
3. Le temps est venu de prendre soin et de réparer la planète.
4. Le temps est venu d'entendre la jeunesse et d'apprendre des anciens.
5. Le temps est venu de miser sur l'entraide.
6. Le temps est venu de laisser de l'espace au monde sauvage.
7. Le temps est venu d'écouter les peuples premiers.
8. Le temps est venu de redonner du sens au progrès.
9. Le temps est venu d'une mondialisation qui partage, qui coopère et qui donne aux plus faibles.
10. Le temps est venu de préférer le juste échange au libre-échange.

Introduction : Pourquoi ne pouvons-nous plus attendre ?

Développement : Que pouvons-nous faire ?

1. Changer de regard sur l'avenir : principes n° …., …., ….

2. Rendre les collectivités humaines plus participatives : principes n° …., ….

3. Respecter la planète et sa biodiversité : principes n° …., ….

4. Favoriser l'économie solidaire : principes n° …., …., ….

Conclusion : appel à engagement.

b. Préparez votre discours en prenant soin d'inclure les effets nécessaires à l'écoute attentive, l'identification et l'adhésion de votre auditoire. Enregistrez-vous.

Haussmann, l'homme qui bâtit Paris

par Marc Fayad

Faire de la capitale une ville moderne. Telle était la mission d'Haussmann, qui, pendant près de dix-sept ans avec un soutien inconditionnel de Napoléon III, transforma Paris. Avant le vaste chantier entrepris par Haussmann, Paris n'avait pas la carrure d'une capitale, et ne reflétait pas les aspirations de pleine puissance de Napoléon III. Ville médiévale aux ruelles étroites et insalubres,
5 parfois glauques et mal famées, Paris a littéralement été bouleversée par les plans du baron. Dans un premier temps il « nettoya » les rues, expropriant et indemnisant les habitants puis défonçant des centaines de constructions. Parmi les bâtiments et monuments démolis, on compte le marché des Innocents, la tour des Hospitaliers de Saint-Jean-de-Latran, l'hôtel Coligny ainsi que de nombreuses églises et chapelles [...]

10 Il façonna ensuite de grandes avenues capables d'absorber une circulation en constant accroissement – chiffres de l'évolution démographique – et dota la capitale de deux poumons en aménageant les bois de Boulogne puis de Vincennes et en construisant un chemin de fer circulaire pour faciliter les communications. Haussmann construisit sans compter. Le but de tous ces travaux était de créer des voies de communication et d'échanges, des infrastructures pour favoriser le
15 commerce mais aussi la vie quotidienne des habitants en améliorant l'hygiène et en les tirant vers un niveau de vie plus élevé.

Son projet pour Paris intégrait également la mise en place d'un immense réseau d'égouts. Accompagné de l'ingénieur Eugène Belgrand, Haussmann développa les égouts dans des proportions invraisemblables pour l'époque : en 1878, Paris comptait près de 600 kilomètres d'égouts. On lui
20 doit également le parc Montsouris, les Buttes-Chaumont, le visage actuel des Champs-Élysées, les Grands Boulevards, etc.

Pendant près de dix-huit ans, entre 1853 et 1870, Haussmann dirigea une équipe chargée de révolutionner le paysage urbain de la capitale. Soutenu par Napoléon III et le ministre de l'Intérieur Persigny, Haussmann s'entoura d'une équipe dévouée et efficace. [...] Le baron bénéficiera de
25 budgets considérables et souvent dépassés pour réaliser son projet alimenté en partie parce que l'on appellera l'« Emprunt ». [...] Un montage financier qui finalement causera l'éviction d'Haussmann. Face à l'ampleur et au coût des travaux, de nombreux sceptiques ont cherché à écarter le baron, et lorsqu'on voit les chiffres, on comprend pourquoi : avant l'entreprise d'Haussmann, Paris récoltait en 1852 environ 52 millions d'impôts ; en 1869, ce sont près de 232 millions qui entrent dans les
30 caisses. [...]

Le désaveu de Napoléon

[...] Il est donc relevé de ses fonctions par le décret impérial du 5 janvier 1870, publié dans le *Journal officiel* du 6. En effet, à la fin du Second Empire, Haussmann est l'un des hommes les plus brocardés de France. Il a bousculé trop d'habitudes et remis en question trop de situations acquises : le
35 remodelage de la géographie parisienne et les programmes de constructions nouvelles ont, en effet, déclenché une vague de spéculations sans précédent. Le coût des travaux entrepris est énorme, à tel point que Jules Ferry en écrira le célèbre pamphlet *Comptes fantastiques d'Hausmann**. Des monuments vénérables ont été détruits trop brusquement et le personnage d'Haussmann présente un côté agaçant. Tout au long de sa carrière, il a montré une ambition forcenée, d'un opportunisme
40 impudent.

Avec le recul du temps et en tenant compte tout de même de la disparition d'un nombre important de constructions et sites liés à l'histoire de Paris et de France, on ne peut que reconnaître la nécessité et la beauté du résultat des travaux menés par Haussmann.

lepoint.fr, 20 août 2013.

* Le titre du pamphlet fait référence à l'ouvrage *Les Contes fantastiques* écrit par Hoffmann. Jules Ferry fait un jeu de mots qui repose sur les homonymes « contes » et « comptes » et sur la similitude des noms Haussmann et Hoffmann.

1. a. Lisez l'article. Choisissez le chapeau adapté.

☐ 1. À la demande de Napoléon III, Haussmann entreprit un chantier d'une telle ampleur qu'il a donné à la capitale sa physionomie actuelle.

☐ 2. Pour sauver Paris de la misère, Napoléon III chargea Haussmann de la conduction de travaux pharaoniques qui ruinèrent la capitale.

b. Expliquez en quoi la première raison des travaux menés par Haussmann est politique.

. . . .

. . . .

c. Comment était Paris avant les grands travaux ?

☐ moyenâgeuse   ☐ sordide   ☐ mixte   ☐ cosmopolite

☐ dangereuse   ☐ peuplée   ☐ malsaine   ☐ insalubre

d. Identifiez les quatre objectifs des grands travaux présentés dans l'article.

☐ libérer les flux   ☐ favoriser les liaisons   ☐ sécuriser la ville   ☐ embellir la ville

☐ avoir de meilleures conditions sanitaires   ☐ favoriser la mixité sociale

e. Citez une réalisation pour chaque objectif sélectionné (activité **1d**).

1. . . . .   3. . . . .

2. . . . .   4. . . . .

f. Vrai ou faux ? Justifiez avec un extrait de l'article.

1. Paris a été amputée de plusieurs monuments historiques lors du chantier.   ☐ Vrai   ☐ Faux

Justification : . . . .

2. Pour réaliser les travaux, des habitants ont été dépossédés de leurs propriétés immobilières

contre un dédommagement financier.   ☐ Vrai   ☐ Faux

Justification : . . . .

3. Le remodelage de la ville a causé une chute drastique de ses activités et de ses bénéfices.   ☐ Vrai   ☐ Faux

Justification : . . . .

4. Haussmann sera soutenu jusqu'à la fin par l'Empereur.   ☐ Vrai   ☐ Faux

Justification : . . . .

5. La transformation de Paris a entraîné des fluctuations importantes du marché immobilier.   ☐ Vrai   ☐ Faux

Justification : . . . .

2. Relisez l'article.

a. Reformulez : « Il est donc relevé de ses fonctions. » Trouvez dans le texte une expression synonyme.

. . . .

b. Trouvez une métaphore concernant une des réalisations de Haussmann. Expliquez-la.

. . . .

c. Relevez les passages montrant que Haussmann a été un homme très critiqué par certains de ses contemporains.

. . . .

d. Quelle est l'opinion de l'auteur de l'article sur Haussmann ?

. . . .

J'ai goûté la pizza à 40 euros

par Ezechiel Zerah

À Paris, Bijou propose une pizza facturée 40 euros qui comprend du foie gras, de la caille et des billes de truffe. Le chef, Gennaro Nasti, n'a pas honte de ce méga tarif dans son restaurant qu'il qualifie de pizzeria gastronomique. À raison ? Verdict.

Quand j'ai appris qu'une pizzeria parisienne, aussi chic soit-elle, avait osé mettre à sa carte une
5 pièce à 40 euros (sans feuille d'or, caviar et autres pinces à homard), je me suis jeté dans un taxi direction Montmartre, déjà prêt à en découdre avec l'agitatrice. Comprenez-moi : je viens d'une cité qui a inventé le camion pizza et où la pizze s'avale à bas prix, sobrement nappée de sauce tomate et d'anchois (ou de fromage, au choix).

12 h 48. Arrivée chez Bijou, accueilli par un visage marqué et sévère, celui de Simona. Elle rappelle
10 les authentiques aubergistes des trattorias historiques du sud de l'Italie. Un couple discute en terrasse, un autre bavarde à l'intérieur au fond de la salle. Je demande à être installé sur l'une des tables hautes : ce sera la 17, avec vue sur la quinzaine d'ampoules XXL découlant du plafond comme dans toute ambassade bistronomique qui se respecte. Pas d'entrée, j'attaque directement avec la raison de mon passage éclair, « La Caille », 40 euros (en moyenne, on facture 24,77 euros
15 la pizza ici). La belle a beau s'afficher avec *fior di latte*, scarole, filet de caille rôtie, quenelle de foie gras, « perlage de truffe noire » et huile d'olive extra-vierge Muraglia, 262 francs, ça fait tout de même tousser. Autant le dire : les attentes sont immenses, par le tarif mais aussi par le CV doré du chef Gennaro Nasti : formation chez les grands noms de la pizza à Naples, titre de vice-champion du monde pizzaïolo en 2012, sélection parmi les chefs du festival Taste of Paris, prix de la meilleure
20 pizzeria du monde (hors Italie) par le Gambero Rosso (guide Michelin de la Botte). Dernièrement, l'intéressé paradait à Milan, sollicité pour régaler les invités des *Best Chefs Awards*.

« La Caille » arrive, découpée en quatre gros morceaux où se superposent les produits précédemment cités. Je prends une première bouchée. Puis une deuxième. Une troisième. Alors ? La pâte est dodue mais pas dense, humidifiée par la fleur de lait. Royale caille parfaitement rosée :
25 on cuisine ici (au four), oui Monsieur. Et puis boom, coup de maître de la scarole qui vient apporter sa mâche soyeuse (cuisson à l'huile d'olive) et sa légère amertume. La crème au foie gras pourrait paraître gadget (on le préfère évidemment le moins transformé possible), ce n'est pas le cas. Elle lie au contraire le tout, apportant du gras bienvenu. Pour les billes de truffe noire façon caviar en revanche, on repassera... même si les (rares) amateurs argueront que la salinité facilite la balance
30 (qui a dit qu'une touche d'agrume aurait vivifié davantage l'assiette, et plus naturellement ?). Ceux qui ne seront pas venus goûter cette « Caille » moqueront sans doute la facturation outrageuse. Il faut pourtant reconnaître que la texture est superbe, que l'équilibre est bluffant. Il y a de la volupté dans cette pizza. Gennaro Nasti, cet orfèvre (becs sucrés, ne ratez pas le baba au rhum napolitain maison. Splendide, si ce n'est la présence de fraises plus vraiment de saison)...
35 Dans un article du *Parisien*, l'intéressé laissait entendre qu'il verrait bien sa pizzeria gastronomique étoilée au guide Michelin. En attendant d'avoir un jour son astre au guide rouge (il le mériterait), Signore Nasti agit déjà comme certains grands généraux de la gastronomie française : introuvable devant son four au déjeuner.

atabula.com, 12 octobre 2018.

1. a. Lisez l'article. Quelle est la nature de ce texte ? Comment est le ton ?

Il s'agit   ☐ d'un reportage gastronomique   ☐ d'une critique gastronomique.

Le ton est   ☐ enthousiaste   ☐ sarcastique   ☐ tragique   ☐ élogieux   ☐ didactique.

b. Que ressent l'auteur avant d'avoir goûté la pizza ? Justifiez.

Il est   ☐ en colère   ☐ scandalisé   ☐ indifférent   ☐ intrigué.

Justification : ....

c. Cochez les ingrédients de la pizza à 40 euros.

☐ des œufs de poisson ☐ une volaille ☐ un crustacé ☐ un produit laitier

☐ un sous-produit de volaille ☐ un métal précieux ☐ un champignon ☐ une variété de salade

d. Pour chaque jugement émis, indiquez de quel ingrédient on parle et notez l'expression de l'article.

Jugement émis	Ingrédient	Expression employée
réunit richement tous les ingrédients		
croquante et fondante		
le sel nécessaire à l'équilibre du plat		
généreuse et aérée		

e. Vrai ou faux ? Justifiez avec un extrait tiré de l'article.

1. La pizzeria que l'auteur teste est un lieu branché. ☐ Vrai ☐ Faux

Justification : ....

2. L'auteur a tout apprécié dans la pizza. ☐ Vrai ☐ Faux

Justification : ....

3. Ce restaurant ravira les adeptes de desserts. ☐ Vrai ☐ Faux

Justification : ....

2. Relisez l'article.

a. Reformulez la fin du chapeau : « À raison ? Verdict. »

....

....

b. À quelle pizza l'auteur oppose-t-il la pizza à 40 euros ? Montrez comment il insiste sur son caractère populaire en relevant des mots et des expressions de l'article.

....

....

c. Identifiez deux personnifications pour parler de la pizza à 40 euros. Que souhaite souligner l'auteur avec ce procédé ?

....

....

d. Repérez les passages de l'article où l'auteur indique que :

1. le chef est prétentieux : ....

....

2. le chef est exceptionnel : ....

....

e. Dans le passage où l'auteur exprime ses impressions pendant la dégustation (lignes 24 à 34), son opinion correspond-elle à sa première impression ? Justifiez avec des éléments tirés de l'extrait.

....

....

....

TRIBUNE
45 députés s'opposent au déremboursement de l'homéopathie

Emmenés par l'élu (Libertés et Territoires) du Morbihan Paul Molac, 45 députés de divers bords signent une tribune pour demander au gouvernement de renoncer au déremboursement de l'homéopathie.

Les signataires, parmi lesquels plusieurs membres du groupe LREM, s'interrogent sur la volonté de « bannir à tout prix » cette pratique plutôt que de la rendre « complémentaire » de la médecine
5 conventionnelle : une option qui, selon eux, préserverait la liberté de soins tout en contribuant à la maîtrise des dépenses de santé.

La tribune :

« L'homéopathie répond à un réel besoin médical. Elle contribue indéniablement à diminuer la consommation médicamenteuse et ainsi à combattre l'antibiorésistance, reconnue comme
10 un problème majeur en termes de santé humaine et animale au niveau international. Elle peut répondre aux risques liés à la polymédication et se présenter comme une alternative personnalisée à certains traitements. Enfin, elle permet de répondre aux besoins de santé non couverts des populations les plus fragiles comme les enfants, les femmes enceintes, les personnes âgées ou encore en association soulager les malades du cancer. Pour toutes ces raisons, l'homéopathie ne
15 doit pas être déremboursée au 1er janvier 2021.

Il est difficile d'accepter l'idée selon laquelle cette pratique, qui a longtemps été reconnue par les autorités et la communauté médicale, exercée pendant plus de 200 ans par des médecins formés, et inscrite à la pharmacopée française en 1965 (recueil officiel national des médicaments), puisse soudainement être reléguée au rang de "fake médecine". Pour preuve, chaque jour encore, un
20 médecin généraliste sur trois prescrit des médicaments homéopathiques, et 74 % des utilisateurs les jugent efficaces. La pratique trouve également sa place à l'hôpital, dans les services de gynécologie et d'oncologie où elle est utilisée en complément des chimiothérapies et des radiothérapies. En effet, on estime actuellement qu'entre 30 % et 50 % des malades atteints d'un cancer l'utilisent en soins de support pour réduire les effets secondaires des traitements dits traditionnels.
25 Face aux prises de positions virulentes qui ont émergé ces dernières semaines dans le débat public, alors que des millions de Français affirment constater des bienfaits, il est intéressant de se demander pourquoi l'homéopathie dérange. Pourquoi chercher coûte que coûte à opposer la médecine conventionnelle à la médecine douce ? Pourquoi ne pas les rendre complémentaires ? Plutôt que de vouloir bannir à tout prix l'homéopathie, ne serait-il pas préférable d'accompagner
30 son développement afin que les Français, au nom de la liberté de choix, puissent se voir offrir une large palette de soins et solutions thérapeutiques sécurisés et contrôlés ?

On le sait, le déremboursement total de l'homéopathie entraînera inévitablement un fort pourcentage de report vers la médecine traditionnelle, plus coûteuse et présentant également davantage de risques d'effets indésirables et secondaires. On comprend donc d'emblée que
35 l'argument revendiqué, supprimer le remboursement partiel de l'homéopathie pour soulager le déficit de la Sécurité sociale, est un leurre. C'est pourquoi, afin de maintenir l'homéopathie comme option dans le parcours de soins des patients mais aussi dans l'optique de contribuer à la maîtrise des dépenses publiques de santé, nous demandons au gouvernement de maintenir le niveau de remboursement à 30 % de cette méthode thérapeutique. »

Le Journal du dimanche, 20 juillet 2019.

1. a. Lisez l'article. Entourez les réponses correctes dans le résumé de l'article.

Il s'agit d'un **billet d'humeur** / **article d'opinion** / **article d'information** rédigé par des **journalistes de la rédaction** /

élus / **médecins** qui **partagent les mêmes idées politiques** / **ont des convictions politiques différentes** pour **dénoncer**

les dépenses inutiles générées par la médecine conventionnelle / **demander le maintien du remboursement de**

l'homéopathie / **convaincre des bienfaits de l'homéopathie**.

b. Numérotez dans l'ordre les idées de l'article.

Requête des signataires de la tribune → n° . . . .

Questionnement autour des raisons d'une telle controverse → n° . . . .

Répercussions de la mesure envisagée par le gouvernement → n° . . . .

Défense de l'homéopathie → n° . . . .

c. Cochez les arguments avancés par les auteurs pour défendre leur position.

☐ 1. L'homéopathie peut se substituer au protocole de soin de maladies graves.

☐ 2. L'utilisation de l'homéopathie est répandue dans la médecine générale et spécialisée.

☐ 3. Une grande majorité des patients est satisfaite.

☐ 4. L'homéopathie est une solution aux dangers de l'automédication et de la surconsommation médicamenteuse.

☐ 5. C'est une méthode thérapeutique ancienne et établie.

☐ 6. L'homéopathie renforce la résistance aux antibiotiques.

☐ 7. Dans certains cas, l'homéopathie comble des besoins non remplis par la médecine traditionnelle.

2. a. Relisez l'article. Expliquez l'argument invoqué par les pouvoirs publics pour justifier le déremboursement de l'homéopathie.

. . . .

b. Comment les auteurs de la tribune jugent-ils cet argument ?

. . . .

c. Comment les auteurs réfutent-ils cet argument ?

. . . .

. . . .

d. En quoi leur réfutation est-elle habile ?

. . . .

. . . .

e. Relevez l'anglicisme utilisé pour dénoncer l'homéopathie et présentez la défense que les signataires opposent à cette accusation.

. . . .

. . . .

f. À quoi servent les questions du troisième paragraphe de la tribune (l. 25 à 31) ?

. . . .

g. Relevez les procédés utilisés par les auteurs pour affirmer leur position, faire adhérer les lecteurs à leur cause et faire pression sur le gouvernement.

Expression(s) de la certitude : . . . .

Expression(s) du sentiment : . . . .

Injonction(s) : . . . .

h. Quel droit fondamental les signataires réclament-ils en matière de soins ? Que pensent-ils, à votre avis, de l'attitude du gouvernement ?

. . . .

Je ne souhaite à personne de cohabiter, dès l'enfance, avec la beauté. Entrevue rarement, la beauté illumine le monde. Côtoyée au quotidien, elle blesse, brûle et crée des plaies qui ne cicatrisent jamais.

Mes frères étaient beaux d'une beauté évidente, d'une beauté qui ne requiert aucune explication. L'éclat de leur peau avait quelque chose d'irréel : ils semblaient produire eux-mêmes la lumière. Leurs
5 yeux avaient l'air d'avoir inventé la couleur, toutes les nuances de bleu s'y retrouvaient, du bleu azur au bleu marine, en passant par le bleu pervenche, le bleu ardoise, le cobalt, l'indigo et l'outremer. Leurs lèvres vermeilles, ciselées, offraient une rondeur pulpeuse qui appelait constamment à espérer un baiser. Leur nez avait des proportions parfaites que les narines palpitantes rendaient sensuelles. Grands, bien proportionnés, assez musclés pour qu'on devine leurs formes, pas trop pour rester
10 élégants, ils n'avaient qu'à surgir pour capter les regards. Leur perfection était rehaussée par le fait qu'ils étaient deux. Deux absolument identiques.

Des jumeaux laids font rire. Des jumeaux beaux émerveillent. Cette gémellité donnait quelque chose de miraculeux à leur splendeur.

La force de la beauté, c'est de faire croire à ceux qui la côtoient qu'ils sont eux-mêmes devenus
15 beaux. Mes frères gagnaient des millions en vendant cette illusion. On se les arrachait pour des soirées, des inaugurations, des émissions de télévision, des couvertures de magazines. Je ne pouvais blâmer les gens de tomber dans le piège de ce mirage, j'en avais été moi-même la première victime. Enfant, j'étais persuadé d'être aussi magnifique qu'eux.

Au moment où ils devinrent célèbres en exploitant commercialement leur physique, j'entrai au
20 collège. Lorsque le premier professeur qui fit l'appel prononça mon nom, Firelli, les visages des élèves se tournèrent vers celui qui avait crié : « Présent. » La stupeur marqua les faces. Le professeur lui-même se posait la question. Je l'encourageai d'un sourire à débusquer* la vérité.

– Êtes-vous... êtes-vous... parent avec les frères Firelli ? demanda-t-il.
25 – Oui, je suis leur frère, annonçai-je avec fierté.

Un éclat de rire énorme secoua la classe. Même le professeur ricana quelques secondes avant de rappeler à la discipline et de réclamer le silence.

J'étais abasourdi. Quelque chose venait de se produire – et n'allait cesser de se reproduire – que
30 je ne comprenais pas. Ne discernant plus du cours qu'un ronronnement dans une langue étrangère, j'attendis la récréation avec violence.

Je bondis aux toilettes et m'étudiai dans la glace. J'y aperçus un étranger. Un inconnu complet. Jusqu'alors, j'y avais vu mes frères, car je n'avais pas douté une seconde, à les contempler constamment et en double, que je leur ressemblais. Ce jour-là, dans le miroir piqué au-dessus des
35 lavabos moisis, je découvrais un visage fade sur un corps fade, un physique si dépourvu d'intérêt, de traits saillants ou de caractère que j'en éprouvai moi-même, sur-le-champ, de l'ennui. Le sentiment de ma médiocrité m'envahit comme une révélation. Je ne l'avais pas encore éprouvé ; depuis, il ne m'a pas quitté.

Lorsque j'étais une œuvre d'art, Éric-Emmanuel Schmitt, Éditions Albin Michel, 2002.

* débusquer : faire sortir.

1. a. Lisez l'extrait littéraire et indiquez quels sont les personnages et le thème du roman.

Les personnages principaux : . . . .

Le thème : . . . .

b. Associez un titre à chaque partie.

La beauté : merveille et imposture

Partie 1 (l. 1 à 18)   Une fratrie extraordinaire

Partie 2 (l. 19 à la fin)   Le choc de la désillusion

La laideur et le harcèlement scolaire.

c. Cochez les adjectifs correspondants aux personnages.

Le narrateur : ☐ rêveur ☐ idolâtré ☐ offensé ☐ miraculé ☐ fortuné

☐ sublime ☐ insignifiant ☐ meurtri ☐ irréel

Les jumeaux : ☐ rêveurs ☐ idolâtrés ☐ offensés ☐ miraculés ☐ fortunés

☐ sublimes ☐ insignifiants ☐ meurtris ☐ irréels

d. Pour chaque caractéristique (l. 3 à 11), indiquez la partie du corps correspondante et l'expression employée.

Caractéristiques	Parties du corps	Expressions employées
1. rouge foncé		
2. camaïeu de bleus		
3. rayonnant(e)(s)		
4. finement découpé(e)(s)		
5. charnu(e)(s)		
6. frémissant(e)		
7. charnel(le)(s)		

e. Cochez Vrai ou Faux et justifiez avec un extrait.

1. Selon le narrateur, vivre avec la beauté crée des traumatismes irréparables. ☐ Vrai ☐ Faux

Justification : . . . .

2. Le narrateur a toujours su qu'il était différent de ses frères. ☐ Vrai ☐ Faux

Justification : . . . .

3. Les jumeaux vivent de leur physique. ☐ Vrai ☐ Faux

Justification : . . . .

4. La moquerie vient autant du professeur que des élèves. ☐ Vrai ☐ Faux

Justification : . . . .

5. Le narrateur pense qu'il a un physique singulier. ☐ Vrai ☐ Faux

Justification : . . . .

2. a. Relisez l'extrait littéraire (l. 19 à 31). Soulignez deux expressions qui marquent l'étonnement des élèves et du narrateur le jour de la rentrée. Expliquez ce qui a entraîné ces deux réactions.

Les élèves : . . . .

Le narrateur : . . . .

b. Reformulez les extraits et répondez aux questions.

1. *On se les arrachait pour des soirées, des inaugurations, des émissions de télévision, des couvertures de magazines.*

À votre avis, quel est leur métier ?

Reformulation : . . . .

Réponse : . . . .

2. *Je l'encourageai d'un sourire à débusquer la vérité.*

Que sous-entend cette phrase par rapport à ce que pense le narrateur ?

Reformulation : . . . .

Réponse : . . . .

c. En quoi les dernières phrases de l'extrait (l. 36 à 38) font-elles écho aux premières phrases (l. 1 et 2) ?

. . . .

Économie au féminin.
« Une femme sur un chantier, ça étonne encore »

par Karine Cougoulat

À 28 ans, Charlotte Laurier travaille dans un milieu encore très masculin : les travaux publics. Chef d'équipe depuis un an, elle participe au chantier dans le centre-ville d'Ancenis, en Loire-Atlantique.

« Forcément un homme »

5 Plus jeune, Charlotte Laurier visait la garde républicaine. À 28 ans, elle occupe un poste de chef d'équipe dans les travaux publics. Actuellement sur le chantier dans le cœur de ville d'Ancenis (Loire-Atlantique), son chignon
10 ou sa queue-de-cheval débordant du casque attire l'attention des passants. « Une femme sur un chantier, ça étonne encore beaucoup. » Et pour cause, elles ne sont pas légion dans ce secteur d'activité majoritairement masculin.
15 « Dans le bâtiment, ça n'étonne plus, poursuit la chef d'équipe. Mais dans les TP, dès que quelqu'un débarque avec un gilet orange et un casque, c'est forcément un homme. »

Déjà huit ans sur les chantiers

20 Ce milieu, elle le connaît bien. Huit ans déjà que la jeune femme originaire d'Oudon œuvre sur les chantiers. Pourtant, rien ne la prédestinait à embrasser une carrière dans les travaux publics. « À 18 ans, je me suis
25 cassé le genou. La blessure a compromis mon avenir dans le milieu équestre », confie-t-elle. Bac pro équestre en poche, elle poursuit un temps dans cette voie mais les contraintes, la blessure ont raison de sa passion.
30 Elle quitte le monde des chevaux à 20 ans pour un univers totalement différent : les TP. Sans regret. Ces années « m'ont forgée. Je voulais un métier en extérieur et physique, mais je ne voulais pas travailler dans le milieu agricole.
35 J'ai parcouru la liste des métiers et me suis arrêtée à conducteur d'engins. » Elle s'inscrit au lycée Narcé, à Brain-sur-l'Authion (Maine-et-Loire). Les filles se comptent sur les doigts de la main. Les formulaires d'inscription ne
40 disposent encore que de la mention « fils de... »

Difficile de trouver un apprentissage

À l'heure de trouver un employeur, elle se heurte aux préjugés : « Je me souviens avoir reçu un courrier d'une entreprise qui indiquait ne pas rechercher d'apprenti. Une 45 semaine plus tard, elle lançait une campagne de pub pour en recruter. D'autres encore demandaient si j'effectuais les recherches pour mon fils, raconte Charlotte Laurier. J'ai 50 envoyé des demandes d'apprentissage à toutes les entreprises... Eurovia a été la seule à me prendre. Elle m'a suivie jusqu'à mon BTS (décroché il y a un an). Il y a plusieurs femmes 55 dans l'entreprise, mais je suis la seule chef d'équipe. »
Sur le terrain, elle a su s'imposer. Épaulée par son mètre quatre-vingts, une bonne répartie et un caractère bien trempé. « Je suis même 60 parfois un peu trop directive, concède la chef d'équipe. On me dit de parler plus gentiment. Je fais le job comme les autres, physiquement, j'y arrive. La seule différence, c'est que je dispose de toilettes et d'un vestiaire séparés. 65 C'est la législation. Les ouvriers sont plutôt fiers d'avoir une chef d'équipe. Et puis, ils sont habitués à me voir », insiste Charlotte. Concédant toutefois avoir le sentiment « de devoir faire ses preuves en permanence ». 70
Si les femmes sont encore peu sur les chantiers, elle voit un changement s'opérer dans le milieu. Charlotte, « pas féministe » mais féminine, se réjouit d'ailleurs de trouver dans son prochain paquetage, une tenue 75 coupe femme. « C'est une vraie évolution. »

Ouest-France, 2 novembre 2016.

1. a. Lisez l'article. En quoi consiste le métier de Charlotte ?

....

b. Quelle est la particularité de ce domaine professionnel ?

....

c. Quels domaines intéressaient Charlotte auparavant ?

☐ L'élevage d'animaux. ☐ Le bâtiment. ☐ Le domaine militaire.

☐ La publicité. ☐ L'agriculture. ☐ Le monde du cheval.

d. Quelle était sa première ambition ?

....

e. Pourquoi ne l'a-t-elle pas poursuivie ?

....

f. Vrai ou faux ? Justifiez avec un extrait tiré de l'article.

1. Charlotte a choisi ce métier par militantisme. ☐ Vrai ☐ Faux

   Justification : ....

2. Son physique et sa personnalité l'ont aidée à se faire sa place. ☐ Vrai ☐ Faux

   Justification : ....

3. On lui reproche d'être trop autoritaire. ☐ Vrai ☐ Faux

   Justification : ....

4. Elle ne bénéficie d'aucun traitement de faveur dû à son genre dans la réalisation de son travail. ☐ Vrai ☐ Faux

   Justification : ....

2. a. Relisez l'article. Relevez les deux expressions qui expriment la rareté, l'exception.

1. ....

2. ....

b. Relevez un exemple de stéréotype vécu par Charlotte au cours de démarches administratives. Que traduit-il ?

....

....

c. Expliquez la discrimination dont elle a été victime.

....

....

....

d. Charlotte pense-t-elle que la féminité doive s'effacer dans son travail ? Justifiez.

....

....

e. Que reflète le témoignage de Charlotte de la place des femmes dans son domaine professionnel ?

....

....

....

....

....

Réussir, disent-ils

« J'ai du succès dans mes affaires / J'ai du succès dans mes amours / Je change souvent de secrétaire / J'ai mon bureau en haut d'une tour / D'où je vois la ville à l'envers / D'où je contrôle mon univers », geint l'homme d'affaires dans le célèbre tube, « Le Blues du businessman ». Mais pourquoi est-il malheureux, ce pauvre diable plein aux as qui ne regrette qu'une chose, ne pas être

5 un artiste ? Peut-être parce qu'il se bat pour un bout de gras dérisoire, et d'autant plus insignifiant qu'il est convoité. Le moteur de la réussite, et donc du combat contre les autres, Sigmund Freud le disait déjà, n'est rien d'autre que la quête narcissique d'une petite différence, par essence minusculissime.

Aussi, dans l'univers de l'entreprise, les signes de statut sont-ils très importants. D'où l'importance

10 accordée aux bureaux, qui sont attribués en fonction de l'échelon[1]. Par exemple à l'échelon vous écopez d'un bureau cloisonné de 5,9 m^2 que vous partagez avec un stagiaire ou un collègue, tandis qu'à l'échelon + 1, vous avez droit à un vrai bureau de 6,3 m^2, avec, attention, une petite table ronde qui sert pour les réunions. À + 2, on vous offre un joli mobilier en bois, preuve absolue, irréfutable, que votre entreprise vous aime davantage que certains de vos collègues moins favorisés. Et ça,

15 c'est tellement important – l'amour, toujours...

Mais vous aurez beau franchir les échelons et moissonner de plus en plus de gadgets et de signes tangibles de réussite, le cadre moyen est voué à rester cadre moyen. Quand on est « bureautier », pour reprendre le néologisme porté à la célébrité par le film *Le Père Noël est une ordure*, on l'est à vie. Les postes « à haute responsabilité » (secrétaires généraux, directeurs, chefs de service, sous-

20 directeurs) se trouvent accaparés par des énarques[2] et, au sommet, les directions sont monopolisées par les grands corps (Mines[3], inspection des Finances). Ces gens sont des technocrates comme vous, mais plus haut de gamme car ils jouissent de l'incontournable « réseau », qui se tisse par exemple dans « les instances décisionnelles de la vie politique » (c'est-à-dire les cabinets ministériels, les états-majors des partis). Si le cadre moyen est un pur produit des classes moyennes, le cadre

25 supérieur est issu d'un sérail[4] plus chic. Car il existe autant de distance entre le cadre sup' et le cadre moyen qu'entre ce dernier et les intermittents, les précaires, qui ont bien peu de droits et sont autant de chômeurs potentiels.

Vous qui n'avez pas de piston[5] et personne pour allumer la fusée qui sommeille entre vos fesses, il ne vous reste plus qu'à jouer un rôle, qu'à faire semblant. D'où l'importance de l'habillement

30 dans les entreprises. Il sert à afficher ce qu'on attend d'un cadre – qui, cela va de soi, est sain, sportif, communicant, entreprenant, ambitieux, optimiste : une aura de décontraction et de professionnalisme, de masculinité (ou de féminité) émancipée et de conservatisme louis-philippard[6]. Le « dress code » ne plaisante pas : le tailleur pour les femmes et le costume pour les hommes sont de mise dans de nombreux secteurs économiques. Sauf le vendredi, où sévit le « friday look »,

35 ou tenue vestimentaire du vendredi ; car ce jour-là, on a le « droit » de porter des vêtements autres que les vêtements conformes des quatre premiers jours de la semaine. Ces fripes ne sont adaptées que pour ce jour-là et, comble du comble, elles ne sont pas (ce serait trop simple) des vêtements que vous-mêmes choisiriez pour être à l'aise ! La seule liberté qui vous reste est celle de la cravate et des chaussettes, et encore.

40 À quand le *monday look*, le *thursday look*, pour compliquer encore les choses ? À quand la cour de Louis XIV, où une horde papillonnante de nobles désœuvrés se devait d'être là, dans les jupes du Roi-Soleil, non pas pour accomplir une tâche, mais simplement pour paraître ?

Bonjour paresse, Corinne Maier, éditions Michalon, 2004.

1. échelon : niveau auquel appartient un fonctionnaire.
2. énarques : personnes diplômées de l'ENA (École nationale d'administration).
3. Mines : l'École des mines (grande école prestigieuse).
4. sérail : ici, milieu restreint.
5. piston (sens figuré) : appui accordé à une personne par une autre, en vue de lui faire obtenir un avantage.
6. louis-philippard (adjectif péjoratif) : qui concerne le règne de Louis-Philippe ; qui appartient à son époque (début du XIXe siècle).

1. **a.** Lisez l'extrait. Identifiez sa nature et son thème.

C'est :　☐ un roman historique　☐ un roman autobiographique　☐ un essai　☐ un témoignage.

L'auteure remet en question la notion de :　☐ réussite　☐ argent　☐ perspective d'évolution professionnelle.

b. À qui l'auteure s'adresse-t-elle ?

. . . .

c. Indiquez de qui il s'agit.

	Cadre moyen	Cadre supérieur
1. Il est diplômé d'une grande école.	☐	☐
2. Il a des relations qui lui permettent d'avancer.	☐	☐
3. Il est issu de la classe moyenne.	☐	☐
4. Il appartient à l'élite.	☐	☐
5. Il dirige.	☐	☐
6. Il s'occupe de tâches administratives.	☐	☐
7. Il pratique « l'entre-soi ».	☐	☐

d. Dans l'extrait, quelles sont les deux signes extérieurs qui montrent le statut en entreprise ?

1. . . . .

2. . . . .

e. Vrai ou Faux ? Cochez et justifiez avec un extrait du texte.

1. D'après l'auteure, un cadre moyen accède logiquement au statut de cadre supérieur

en gravissant les échelons.　☐ Vrai　☐ Faux

Justification : . . . .

2. Il existe un grand fossé entre un cadre moyen et un cadre supérieur.　☐ Vrai　☐ Faux

Justification : . . . .

3. L'auteure conseille aux cadres moyens de donner l'illusion d'appartenir à la classe supérieure.　☐ Vrai　☐ Faux

Justification : . . . .

4. L'auteure apprécie le « friday look » pour le confort que cette tenue apporte aux salariés.　☐ Vrai　☐ Faux

Justification : . . . .

2. **a.** Relisez l'extrait. Reformulez le propos de la chanson qui introduit le texte. Pourquoi l'auteure y fait-elle référence ?

. . . .

. . . .

b. Reformulez l'opinion de l'auteure concernant la réussite. Que sous-entend le titre du texte ?

. . . .

. . . .

c. Quel est le ton utilisé pour parler de l'exemple du bureau (l. 9 à 15) ? Pourquoi ?

. . . .

d. Relevez la métaphore qui signifie que certaines relations font progresser rapidement dans la vie professionnelle. Quel est le ton utilisé ?

. . . .

e. Que sous-entend la dernière question que pose l'auteure concernant l'attitude et le travail des cadres ?

. . . .

En prison, des chiens pour soulager les peines

Depuis trois ans, Aurélie Vinceneux, psycho-praticienne, et ses deux bêtes, Gandhi et Lutine, rendent visite à des détenues de la maison d'arrêt de Nantes pour des ateliers de « médiation
5 animale ». Une façon d'apaiser et d'adoucir la vie derrière les barreaux.

Lové sur une couverture verte déposée sur une table au centre de la pièce, Gandhi est au cœur de toutes les attentions. En baskets noires et jean
10 troué assorti, Kelly, rousse au carré bouclé de 24 ans, tente d'apprendre au petit berger shetland à donner la patte et à rouler sur lui-même. « Moi, j'ai toujours joué avec mes chiens. J'ai jamais eu de problème », se félicite Priscilla, 37 ans. « C'est
15 pour ça que tu es en prison ! » plaisante Kelly. Depuis trois ans, la maison d'arrêt des femmes de Nantes organise chaque jeudi après-midi un atelier de médiation animale. Sur la base du volontariat, les participantes peuvent passer une heure trente
20 avec Aurélie Vinceneux, psychopraticienne, et ses deux chiens, Gandhi, 8 ans, et Lutine, 18 mois. « On essaie d'accompagner ces femmes vers un mieux-être, malgré le contexte », explique la trentenaire. « Beaucoup d'entre elles sont propriétaires de
25 chiens à l'extérieur. L'animal nous permet d'entrer en relation, de nous rejoindre en tant qu'humains autour d'une passion commune », poursuit Aurélie Vinceneux.

Après des études de psychologie, la jeune femme
30 s'est formée à la criminologie et à la victimologie avant de passer un diplôme universitaire de relation d'aide par la médiation animale. Il y a dix ans, elle a créé son association, « Cœur d'artichien », avec laquelle elle intervient en milieu carcéral, mais
35 aussi auprès d'enfants hospitalisés. Quant à ses chiens, ils sont formés pendant environ un an et leur aptitude à jouer les médiateurs est évaluée par un éducateur canin avant leurs débuts.

[...] Ce jeudi de novembre, c'est un petit groupe de
40 trois détenues qui a rendez-vous dans une salle aux murs ornés de cadres fleuris et de photos, pour une séance collective. [...]

Outre des gamelles, jouets et autres harnais pour Gandhi et Lutine, Aurélie Vinceneux apporte
45 aussi des jeux destinés aux participantes.

Ce jour-là, à travers un jeu de cartes québécois, elles sont invitées à réaliser un totem des personnes en présence. Dans sa pioche, chacune choisit des qualités qui lui semblent correspondre à la personne désignée : érudit, vif, ingénieux, 50 cultivé... En commençant par les chiens, pour se mettre en confiance, et délier les langues. Par ricochet, la « curiosité » du petit berger shetland conduit Priscilla, 37 ans, à évoquer ses souvenirs d'école : « Je n'aimais pas trop apprendre. Ma 55 fille, c'est pareil », dit-elle. Progressivement, la conversation dévie sur les personnalités de chacune, et les amène à travailler sur l'estime de soi : Priscilla voit sa « persévérance » et sa « franchise » mises en avant, tandis que Kelly 60 « défend ses idées avec vigueur ». « Je suis aussi un peu maniaque : y a qu'à voir ma cellule, c'est carré », complète Kelly. Aurélie Vinceneux, l'intervenante, se prête elle aussi au jeu. « Quand j'étais ado, j'étais un bulldozer, toujours prête à 65 foncer », lâche-t-elle tout sourire.

Jusque-là en retrait, plus occupée à jouer avec la jeune chienne qu'aux cartes, Harley, 27 ans, sort de sa réserve. Incarcérée depuis trois ans, la jeune femme, cheveux peroxydés et piercings, 70 est la plus ancienne participante à ces ateliers. « Tu as toujours été présente, toutes les fois où je n'étais pas bien », dit-elle à l'intervenante. Harley dit « adorer les animaux depuis toute petite ». À l'en croire, rats, serpent, perruche, ou 75 encore caméléon lui ont par le passé servi de compagnon. Et d'analyser : « En fait, j'aime les voir vivre. Le simple fait de caresser un animal, ça enlève la tristesse. » « On constate un apaisement 80 phénoménal », appuie Christelle Dubergey, surveillante au sein de l'établissement, qui dit volontiers être « gaga des animaux ». « En vingt-quatre ans de pénitentiaire, je n'avais jamais vu ça. Même pour nous, les personnels, faire entrer des 85 animaux apporte de la joie », constate-t-elle. « Je me souviens d'une dame en très grande détresse. J'étais assez impuissante. Gandhi a sauté sur son ventre et a léché ses larmes », raconte Aurélie Vinceneux. 90

Virginie Ballet, liberation.fr, 24 décembre 2019.

1. **a.** Lisez l'article. Qui sont Aurélie Vinceneux, Kelly, Priscilla et Harley ?

....

b. Que propose Aurélie Vinceneux ? Dans quel but ?

....

c. Quelles sont les missions qu'Aurélie Vinceneux remplit au sein de l'établissement ?

☐ 1. Évaluer l'aptitude des chiens à la médiation

☐ 2. Apporter du soutien psychologique

☐ 3. Mettre en place des activités ludiques

☐ 4. Établir le profil d'un criminel ou d'une victime pour aider la police

☐ 5. Surveiller des détenues

☐ 6. Animer des ateliers avec des chiens médiateurs

d. Vrai ou faux ? Justifiez avec un extrait de l'article.

1. Aurélie n'intervient qu'en prison. ☐ Vrai ☐ Faux

Justification : ....

2. Les chiens ont une prédisposition naturelle à la médiation. ☐ Vrai ☐ Faux

Justification : ....

3. Aurélie a juste un rôle d'observatrice dans les interventions qu'elle propose. ☐ Vrai ☐ Faux

Justification : ....

4. Les bienfaits de ses interventions se ressentent aussi sur les salariés de l'établissement. ☐ Vrai ☐ Faux

Justification : ....

e. Pour chaque caractéristique, indiquez de qui on parle (Aurélie Vinceneux, Kelly, Priscilla, Harley, Christelle Dubergey) et notez la ou les expression(s) de l'article.

	Personne(s)	Expression(s)
Fan des animaux	....	....
Battante	....	....
Obstinée	....	....
Adepte du rangement	....	....
Sincère	....	....
Timide	....	....
Sûre de ses opinions, sachant argumenter	....	....

2. **a.** Relisez l'article. Relevez le vocabulaire lié :

1. à la prison : ....

2. au bien-être : ....

b. Que signifie l'expression « délier les langues » (l. 52) ? ....

c. Expliquez le jeu que met en place Aurélie Vincenieux, l'intérêt de la médiation animale et l'effet obtenu.

....

....

d. Présentez les bienfaits des chiens médiateurs en prison.

....

....

Jean-Pierre Goudaillier : « Le dominé crée un langage qui n'est pas compris par ses dominants »

par Emmanuèle Peyret

[...] Ah, l'argot, cette fascinante langue verte de la rue ou plutôt des rues, protéiforme, vernaculaire, tentaculaire, se moquant de la langue standard, la déformant, la refusant, un langage se renouvelant sans cesse, créé par un groupe, une communauté, un gang, une profession pour se démarquer du groupe dominant... et paradoxalement adopté petit à petit dans toutes les couches de la société, ces mots passant dans le registre familier. Toute société a ses tabous, interdits, religieux, politiques, sexuels, etc. Une des fonctions de l'argot est de les contourner. On crypte la conversation, on la code pour que les autres ne la comprennent pas. Jean-Pierre Goudaillier, spécialiste de la question et professeur de linguistique à l'université Paris-Descartes, tient à mettre plus particulièrement en avant la fonction identitaire : on marque par le langage l'appartenance à un groupe et comme tous les argots, le refus de la société telle qu'elle se présente de manière formelle.

Alors, c'est quoi l'argot ?

Un jargon de métier est bien souvent à la base d'un argot, dont la fonction traditionnelle est à la fois cryptique et ludique. Cryptique parce que sa fonction essentielle est d'exclure l'autre, c'est-à-dire qu'il faut être au moins trois pour qu'une situation argotogène ait lieu : deux qui cryptent, et utilisent entre eux la fonction « conniventielle », identitaire, et un troisième qui ne comprend pas. Ludique aussi, parce qu'on contourne l'interdit par des gestuelles langagières, et autres, telles que, par exemple, la casquette à l'envers et le bas du survêt[1] relevé. C'est un refus de la langue standard, un registre de l'interstice dans lequel le dominé se glisse pour créer un langage qui ne soit pas compris par ses dominants. Il y a l'exemple d'une langue secrète dans le sud du Maroc, où les femmes ont inventé des formes linguistiques que les hommes ne comprennent pas, et, plus près, la langue des cités, qui revendique une identité culturelle que peut refuser la communauté linguistique française.

Comment un argot, puisqu'il y en a plusieurs, se forme-t-il ?

C'est le peuple, la rue, qui fait en grande partie la langue. Pour le sociologue Christian Bachmann, la langue est un grand lieu de démocratie, tout va du bas vers le haut. Effectivement, les mots ou les expressions partent du bas de l'échelle, montent progressivement, deviennent familiers, passent dans la langue standard, qui va les adopter, puis le dictionnaire les entérine et ils font partie de la langue française.

Exemple parmi d'autres, celui de « cambriole », en argot des malfrats[2] de la fin du XIXe siècle, départ de la série *cambriolage*, *cambrioler*, *cambrioleur*, désormais admise par l'Académie française. La stigmatisation peuple/pas peuple n'a pas tellement lieu d'être puisque les bourgeois attrapent des mots, dans les bordels entre autres, et s'encanaillent à tous les siècles. Comme aujourd'hui les jeunes bourgeois parlent « le wesh[3] » et utilisent des mots traditionnellement employés dans les banlieues.

Il y a donc plusieurs argots ?

Chaque époque a son type d'argot. [...] Lors de la Grande Guerre, le recrutement est national, tous les patois, les dialectes et les langues régionales se mélangent. On a du parisien, du régional, des professions différentes, ouvriers, paysans, médecins, que sais-je, chacun avec son parler spécifique qui va donner un langage propre aux tranchées.

Quid de la langue des cités ?

C'est un registre de la langue dont on dit qu'il est interstitiel, du français où se glissent des mots étrangers de diverses sources, maghrébines, africaines ou encore tziganes. [...]

On déstructure la langue standard en injectant des composants identitaires et en créant des marqueurs locaux. Les cités marseillaises empruntent par exemple beaucoup au parler des gitans présents dans le Sud. Le verlan, procédé linguistique qui consiste à inverser les syllabes, apparu dans les années 80 et qui met l'interlocuteur littéralement cul par-dessus tête, a été véhiculé par le rap, et c'est aussi un unificateur. Aujourd'hui, l'argot français contemporain et la langue populaire s'alimentent beaucoup de ce français contemporain des cités.

liberation.fr, 12 juin 2018.

1. Survêtement. – 2. Malfaiteur. – 3. Façon de se dire bonjour entre amis. Vient de l'expression *wesh rak* (« comment vas-tu ? » en dialecte algérien, marocain et tunisien).

1. a. Lisez le texte. Identifiez sa nature, son auteur et son sujet. Plusieurs réponses sont possibles.

1. Il s'agit d' ☐ un essai ☐ une tribune ☐ un entretien.

2. Jean-Pierre Goudaillier est : ☐ linguiste ☐ universitaire ☐ sociologue.

3. Il évoque : ☐ la multiplicité des argots.

☐ la discrimination linguistique.

☐ la perte d'identité culturelle avec l'apparition des argots.

☐ la façon dont les argots apparaissent dans les marges.

☐ l'appauvrissement de la langue.

☐ le processus d'intégration des argots dans la langue officielle.

b. Qui crée l'argot ? . . . .

c. Que fait l'argot de la langue standard ? Que traduit ce phénomène ? Quelle est sa fonction ?

. . . .

. . . .

d. Remplacez les mots et les expressions par des adjectifs du texte.

L'argot est une langue *protéiforme* (Ex. : en mouvement), ... (1. propre à une communauté

réduite) et . . . . (2. qui se développe dans toutes les directions). Il a différentes fonctions :

. . . . (3. communiquer secrètement), ... (4. de manière amusante), ...

. . . . (5. complice) et . . . . (6. s'identifier à un groupe)

e. Numérotez dans l'ordre les différentes étapes de l'évolution de l'argot selon Christian Bachmann.

. . . . . . a. Le mot est admis officiellement dans la langue française avec son entrée dans le dictionnaire.

. . . . . . b. La classe moyenne utilise le mot argot dans le langage familier.

. . . . . . c. Le mot argot passe dans la langue courante.

. . . . . . d. Une communauté de la classe populaire fait naître et utilise un mot argot.

f. Vrai ou faux ? Justifiez avec un extrait du texte.

1. Les jeunes des beaux quartiers ne parlent pas la langue des cités. ☐ Vrai ☐ Faux

Justification : . . . .

2. Les soldats de la Première Guerre mondiale ont créé un nouveau langage grâce aux diverses

langues qu'ils entendaient autour d'eux. ☐ Vrai ☐ Faux

Justification : . . . .

3. La langue des cités est poreuse. ☐ Vrai ☐ Faux

Justification : . . . .

2. a. Relevez six mots liés à la langue.

. . . .

b. En quoi l'argot apparaît-il comme une arme des dominés ?

. . . .

. . . .

c. Relisez le texte. Selon vous, l'avis de Jean-Pierre Goudailler sur l'argot est-il positif ou négatif ? Pourquoi ?

. . . .

. . . .

Demain sera vertigineux

Les idéologues transhumanistes de la Silicon Valley ont convaincu l'opinion que la mort n'est plus inévitable, mais les progrès biotechnologiques restent lents. En 2013, Google a créé Calico, qui vise à retarder puis à « tuer » la mort ; ses premiers résultats ne sont pas attendus avant 2030. L'immortalité biologique est encore une perspective incertaine et lointaine. C'est pourquoi les
5 milliardaires geeks s'intéressent aussi à l'immortalité numérique, qui est à l'immortalité biologique ce que les œufs de maquereau sont au caviar.

Première étape : faire son testament vidéo pour ses descendants en résumant sa vie, ses valeurs et sa vision de la vie. C'est accessible dès aujourd'hui mais cela reste très rudimentaire. Deuxième étape : transférer sa mémoire numérique et ses traces électroniques à sa famille avec l'héritage.
10 Cela permet aux héritiers de cerner la psychologie de l'ancêtre mort et d'en garder le portrait. Troisième étape : ajouter une intelligence artificielle (IA) capable d'imaginer l'évolution du défunt dans le monde futur. Fermer le compte Facebook d'un mort revient à empêcher son immortalité numérique en bloquant la création du double numérique du défunt : c'est une euthanasie numérique. Quatrième étape : y ajouter un hologramme. [...] Une IA est capable de reproduire
15 l'image 3D de n'importe quel individu vivant ou non en quelques minutes. [...] Cinquième étape : un chatbot-hologramme intelligent, nourri des traces numériques du disparu, entretient une conversation en 3D avec les vivants. Cela pourrait être étendu à des individus étrangers à la famille. En classe, les enfants pourraient discuter avec le chatbot-hologramme d'Einstein, de Louis XIV, de De Gaulle ou de César. Sixième étape : utiliser les implants intracérébraux d'Elon Musk. En mars
20 2014, Ray Kurzweil, directeur chez Google, a déclaré qu'en 2035 nous utiliserons des nanorobots intracérébraux branchés sur nos neurones. Elon Musk est en train de réaliser cette prophétie et promet les premiers prototypes Neuralink avant 2025. Les implants intracérébraux d'Elon Musk – destinés à augmenter nos capacités intellectuelles – pourront aussi servir à extraire des souvenirs de notre cerveau de notre vivant pour enrichir nos doubles numériques, qui nous ressembleront de
25 plus en plus. Septième étape : l'abandon total de notre corps physique.

Nous accepterions de devenir des intelligences dématérialisées en fusionnant avec des IA. L'avantage d'avoir une intelligence non biologique est énorme : les intelligences numériques sont ubiquitaires, immortelles, circulent à la vitesse de la lumière, peuvent se dupliquer, fusionner... Ce serait la mort de l'humanité telle qu'on l'entend, avec les passions, les valeurs, les névroses,
30 les délires, les pulsions qui nous fondent. C'est la fin du corps et la cyborgisation de l'homme que souhaitent les post-humanistes comme Ray Kurzweil, qui est persuadé que l'on pourra transférer intégralement notre mémoire et notre conscience dans des microprocesseurs dès 2045, ce qui permettrait à notre esprit de survivre à notre mort biologique.

Je suis totalement opposé à la fusion de la machine et de l'homme, qui signerait la mort du corps
35 humain et de l'intelligence biologique : nous devons garder nos pulsions, nos hormones et le Guide Michelin (les microprocesseurs ne vont pas au restaurant). La quête de l'immortalité numérique – beaucoup plus accessible que l'immortalité biologique – ne doit pas conduire à la mort de notre humanité biologique.

Chirurgien, énarque, entrepreneur, Laurent Alexandre est aujourd'hui business angel.

© Laurent Alexandre / *L'Express* / 08.08.2018.

1. a. Lisez l'article. Que présente-t-il ? Cochez la bonne réponse.

☐ 1. Le mode d'emploi pour accéder à l'immortalité numérique.

☐ 2. La méthode pour en finir avec la mort du corps.

☐ 3. Le guide pour le développement de l'intelligence artificielle.

b. Numéroter dans l'ordre les étapes de l'article.

.... Adopter un programme informatique capable de simuler la vie de la personne décédée dans le monde d'après.

.... Intégrer un robot conversationnel en trois dimensions à l'image de la personne décédée.

.... Se filmer pour transmettre sa mémoire à ses héritiers.

.... Fusionner avec la machine.

.... Attribuer son patrimoine numérique à ses descendants.

.... Se faire implanter des puces électroniques dans le cerveau afin de stocker des informations de son vivant et d'alimenter sa vie numérique.

.... Réaliser une image en trois dimensions de la personne décédée.

c. Vrai ou faux ? Cochez la bonne réponse et justifiez avec un extrait de l'article.

1. L'immortalité biologique n'est pas envisagée. ☐ Vrai ☐ Faux

Justification : . . . .

2. Clôturer le profil d'un défunt sur un réseau social correspond à une mort numérique assistée. ☐ Vrai ☐ Faux

Justification : . . . .

3. L'immortalité numérique permettra d'atteindre l'immortalité biologique. ☐ Vrai ☐ Faux

Justification : . . . .

d. Citez deux atouts concernant :

1. la réalisation d'images en trois dimensions de personnes disparues agrémentées de robots conversationnels

. . . .

. . . .

2. le renoncement à notre intelligence biologique

. . . .

. . . .

2. a. Relisez l'article. Trouvez le mot qui correspond à la définition.

Mot issu du vocabulaire de la science-fiction signifiant le fait de devenir un homme avec des membres ou des organes robotisés : . . . .

b. Selon l'auteur, que signifierait l'accessibilité à l'immortalité numérique ?

. . . .

. . . .

c. D'après l'article, quelle est la différence entre les transhumanistes (l. 1) et les post-humanistes (l. 31) ?

. . . .

d. Expliquez la comparaison :

« C'est pourquoi les milliardaires geeks s'intéressent aussi à l'immortalité numérique, qui est à l'immortalité biologique ce que les œufs de maquereau sont au caviar. » (l. 4 - 6)

. . . .

. . . .

e. D'après vous, quel est le sentiment de l'auteur ?

. . . .

f. En quoi les différentes étapes proposées par l'auteur alimentent-elles l'opinion qu'il exprime à la fin ?

. . . .

. . . .

g. Relevez le trait d'humour dans l'expression du point de vue de l'auteur.

. . . .

« Soldats inconnus » est un jeu vidéo sur la Grande Guerre, mais ce n'est pas un jeu de guerre

Interview. Paul Tumelaire, directeur artistique, Yoan Fanise, directeur de contenu et Guillaume Cerda, producteur associé chez Ubisoft ont voulu sortir de la logique manichéenne des jeux vidéo de guerre
5 *classique.*

Les jeux vidéo de guerre se divisent traditionnellement en deux catégories : les jeux de tir et les jeux de stratégie. Vous avez choisi une autre voie...
10 *Soldats inconnus* est un jeu sur la Première Guerre mondiale, mais ce n'est pas un jeu de guerre. Parmi les cinq personnages que le joueur peut choisir, aucun n'a la possibilité d'utiliser une arme ni de tuer. Nous ne voulions pas faire
15 un jeu de tuerie. Si la plupart des personnages sont des soldats, ils n'ont pas pour autant l'esprit belliqueux. Ce sont des gens ordinaires qu'on a sortis de chez eux pour aller faire la guerre et qui ont connu l'horreur. Nous avons voulu
20 raconter comment la guerre a affecté leur vie. D'où le côté émotionnel du jeu. Certes, il y a des morts dans le jeu, mais c'est la guerre qui tue, pas les personnages. Ceux-ci doivent éviter les balles et les obus. [...]

25 *Quelles sont les missions des personnages ?*
Le point de départ de ce jeu vidéo sur la première guerre mondiale est étonnant : il s'agit d'une histoire d'amour brisée entre Marie, une jeune Française, et Karl, un jeune Allemand mobilisé.
30 Émile, le père de Marie, va également partir au front. Sa mission sera de ramener Karl à sa fille. Anna, l'infirmière belge, doit retrouver son père, qui a été fait prisonnier. Elle doit soigner aussi bien les soldats français, britanniques
35 qu'allemands. [...]

N'avez-vous pas l'impression d'idéaliser la guerre ?
Justement, nous traitons d'un sujet très sérieux qui est la Grande Guerre avec une direction
40 artistique qui se rapproche de la bande dessinée, mais qui malgré tout montre les atrocités de la guerre. C'est ce qui est très étonnant dans le jeu. Les premières scènes sont très colorées, l'ambiance est tragicomique. Une des scènes se
45 déroule dans une gare. On y voit des Français avec du vin, du camembert et une baguette. Mais plus le soldat va progresser dans le jeu, plus il va être confronté aux horreurs de la guerre, plus les choses vont devenir sombres sur le plan
50 émotionnel. C'est un peu à l'image de la guerre. Quand le soldat est parti au front, il pensait que la guerre serait courte. Il était quasiment heureux. Au final le conflit a été beaucoup plus long et s'est enlisé dans les tranchées. [...]

Votre jeu sort à l'occasion du centenaire. En quoi 60 *le devoir de mémoire est important pour vous ? Quelle place occupe la dimension pédagogique dans votre jeu ?*
Lorsque Paul Tumelaire a démarré le projet en 2010, Yoan nous a apporté un tas de lettres et 65 de documents historiques qu'il avait hérités de sa grand-mère. On s'en est servi comme source d'inspiration. La lecture des lettres de son arrière-grand-père au front nous a communiqué une émotion assez folle. En fait, il y avait un vrai 70 contraste entre les documents militaires qui étaient très factuels, très froids. Dès le départ nous voulions rendre hommage à ces personnes qui avaient connu l'horreur de la guerre. Ce n'est qu'en 2013 que nous avons réalisé que 75 le centenaire arrivait et qu'il serait opportun de sortir le jeu en 2014. Il s'agissait pour nous de dépasser le jeu vidéo traditionnel. Comment rendre intéressant un jeu vidéo sur la Grande Guerre ? En introduisant des faits historiques. 80 Alexandre Lafon nous a conseillé d'accompagner les faits historiques de grands visuels. C'est ce que nous avons fait. Il y a 55 faits historiques. Une photo accompagne chacun d'entre eux. Tout à coup, le joueur aperçoit un soldat indien. La 85 première réaction de ceux qui ont testé le jeu fut de s'interroger sur la présence d'un Sikh. En appuyant sur le bouton, on apprend que les soldats indiens s'étaient battus aux côtés des troupes de l'empire britannique. Nous voulons 90 que le joueur puisse apprendre des choses.

Dans le jeu vidéo de guerre classique, on élimine un ennemi qui est le mal et on se bat pour une cause qui est en général la démocratie. Qu'en est-il de Soldats inconnus ? 95
Nous avons voulu casser les codes traditionnels. On s'est dit que les Allemands comme les autres avaient été jetés là-dedans. Il n'y a pas de gentil, pas de méchant. Là, on focalise sur les personnages. On propose de suivre leur histoire. 100 Le but c'est qu'ils survivent à cette guerre. Plutôt que la démocratie, nous avons voulu insister sur la fraternité et l'entraide.

Antoine Flandrin, lemonde.fr, 19 mai 2014.

1. a. Lisez l'interview. Indiquez quelle période de l'histoire retrace le jeu *Soldats Inconnus*.

....

b. Dites à quelle occasion sort le jeu.

....

c. Sélectionnez les thèmes abordés dans l'interview.

☐ Un genre alternatif dans l'univers des jeux vidéo de guerre

☐ Un scénario centré autour des affrontements entre camps adverses

☐ La légèreté du traitement artistique tiré de l'univers de la BD

☐ La commémoration et la transmission

d. Cochez les caractéristiques du jeu.

☐ Jeu humaniste ☐ Jeu violent ☐ Jeu à contenu historique

☐ Jeu didactique ☐ Jeu d'armes ☐ Jeu avec une charge affective

e. Indiquez la principale source d'inspiration.

☐ Des documents officiels de l'armée ☐ Une correspondance personnelle

f. Formulez la raison de ce choix.

....

g. Montrez comment le jeu reflète l'évolution de cette période de l'histoire.

....

....

h. Expliquez comment les développeurs du jeu font en sorte que le joueur apprenne quelque chose ? Citez un exemple.

....

....

....

2. a. Relisez l'interview. Relevez le champ lexical de la guerre.

La guerre : ....

La Première Guerre mondiale : ....

L'esprit de guerre : ....

Les armes : ...., ...

Les lieux de combats : ...., ...

Les terribles conséquences de la guerre : ...., ...

b. Relevez dans la réponse à la dernière question deux extraits qui font écho à la formulation tirée du chapeau : « [...] *sortir de la logique manichéenne des jeux vidéo de guerre classique.* » (l.4-5).

1. ....

2. ....

c. Expliquez en quoi le jeu vidéo *Soldats Inconnus* se distingue des jeux de guerre classiques.

....

d. Selon vous, quelle motivation sous-tend la question du journaliste concernant l'idéalisation de la guerre ?

....

....

Hall d'entrée du musée Modigliani

Une mère de famille se présente à la caisse d'un musée.
LA MÈRE. Trois billets, s'il vous plaît...
LA CAISSIÈRE. Exposition permanente ou temporaire ?
5 LA MÈRE. Modigliani[1].
LA CAISSIÈRE. Exposition temporaire. Un adulte et deux enfants ?
LA MÈRE. Vous ne l'avez pas tout le temps ?
LA CAISSIÈRE. Pardon ?
LA MÈRE. Modigliani, vous ne l'avez pas tout le temps ?
10 LA CAISSIÈRE. Non, l'exposition se termine le 4 novembre.
LA MÈRE. C'est pas risqué pour des enfants ?
LA CAISSIÈRE. Modigliani ?
LA MÈRE. Oui, un peintre temporaire.
LA CAISSIÈRE. C'est un très grand artiste.
15 LA MÈRE. Peut-être, mais c'est la première fois qu'ils vont au musée, j'aimerais autant leur montrer quelqu'un de stable.
LA CAISSIÈRE. Modigliani est un peintre très important, madame.
LA MÈRE. Oui, mais vous ne le gardez pas et ce n'est pas un très bon exemple pour des enfants un artiste qui est renvoyé du musée dans une semaine, reconnaissez...
20 LA CAISSIÈRE. L'exposition est magnifique.
LA MÈRE. Je n'en doute pas, mais je préfère qu'ils commencent sur une base solide, un peintre qui reste au musée toute l'année, un emploi fixe qui les tranquillise, vous savez, à cinq et sept ans, on comprend tout.
LA CAISSIÈRE. Dans ce cas, visitez l'exposition permanente.
25 LA MÈRE. Vous avez qui en permanent ?
LA CAISSIÈRE. Oh, beaucoup de monde, Poussin, Watteau, David, Delacroix, Renoir...
LA MÈRE. C'est peut-être plus sûr, non ?
LA CAISSIÈRE. Comme vous voudrez. Ça fera quinze euros.
LA MÈRE. Je peux vous demander pourquoi vous virez Modigliani ? C'est une question de place ?
30 LA CAISSIÈRE. Madame, je vais vous demander...
LA MÈRE. Vous ne pensez pas que vous auriez pu dégraisser chez les vieux ! Watteau[2], franchement, il a fait son temps, Watteau ! Franchement !
LA CAISSIÈRE. Madame...
LA MÈRE. Et Renoir, il n'y en a pas un peu marre de Renoir !? Les musées, les boîtes de chocolat,
35 les calendriers, ça suffit pas ? Et quand c'est pas lui, c'est Monet ! Il n'y a pas qu'eux sur terre ! Ça continue derrière, faudrait qu'ils se le mettent dans le crâne, ça pousse derrière et ça sert à rien de faire bouchon aux jeunes !
LA CAISSIÈRE. Je peux vous demander de payer madame, beaucoup de gens attendent.
LA MÈRE. Qu'est-ce que vous voulez me dire exactement ? Que je suis temporaire à la caisse et que,
40 vous, vous êtes permanente, c'est ça ?
LA CAISSIÈRE. Quinze euros, madame.
LA MÈRE. Ce n'est pas en traitant les visiteurs comme vous traitez Modigliani que vous donnerez à la jeunesse le goût de la peinture ! Venez, mes chéris, on s'en va !
Elle sort.

Musée haut, musée bas, Jean-Michel Ribes, Actes Sud, 2004.

1. Modigliani : peintre et sculpteur italien (1884-1920). 2. Watteau : peintre français (1684-1721).

1. a. Lisez la scène. Soulignez les réponses correctes dans la présentation de la pièce de théâtre.

Musée haut, musée bas est composé d'une succession de **blagues** / **sketchs** laissant poindre **une analyse historique de l'art** / **un regard philosophique sur l'art, sa réalité, son utilité, etc.**

La thématique de la pièce utilise un levier comique avec un humour **de situation** / **noir**, des dialogues et réponses **du tac au tac** / **élaborés**, mêlant **l'humour potache** / **le burlesque** à des situations quotidiennes aux limites du comique de **l'absurde** / **la comédie de boulevard**.

Cette comédie **loufoque** / **acerbe** et son lot de personnages un peu **fous** / **vulgaires** raviront les amoureux du genre !

b. Associez chaque émotion à un personnage et expliquez-en la cause.

1. La détermination : ☐ la mère ☐ la caissière.

   Cause : . . . .

2. L'inquiétude : ☐ la mère ☐ la caissière.

   Cause : . . . .

   . . . .

3. La révolte : ☐ la mère ☐ la caissière.

   Cause : . . . .

   . . . .

4. L'agacement : ☐ la mère ☐ la caissière.

   Cause : . . . .

5. La colère : ☐ la mère ☐ la caissière.

   Cause : . . . .

   . . . .

c. À quelle réalité de certaines œuvres d'art la mère fait-elle référence lorsqu'elle cite Renoir et Monet (l. 34-37) ?

. . . .

2. a. Relisez la scène. Expliquez en quoi les sujets suivants provoquent le rire.

1. Le malentendu sur « temporaire » : . . . .

   . . . .

2. L'attitude de la mère : . . . .

   . . . .

3. La manière de parler des peintres et leur considération : . . . .

   . . . .

   . . . .

b. Reformulez les passages suivants.

1. *Vous ne pensez pas que vous auriez pu dégraisser chez les vieux ! Watteau, franchement, il a fait son temps, Watteau ! Franchement !* (l. 31-32)

   . . . .

2. *Et Renoir, il n'y en a pas un peu marre de Renoir !? [...] Et quand c'est pas lui, c'est Monet ! Il n'y a pas qu'eux sur terre ! Ça continue derrière, faudrait qu'ils se le mettent dans le crâne, ça pousse derrière et ça sert à rien de faire bouchon aux jeunes !* (l. 34-37)

   . . . .

   . . . .

Je sais d'où c'est parti, de pas grand-chose en plus. Il y a dix ans, j'avais rédigé un court texte sur l'écologie. Voilà tout, pas de quoi fouetter un bœuf. [...] Et puis on me prévint qu'il serait lu par Charlotte Gainsbourg à l'inauguration de la COP24 en décembre 2018. Un texte vieux de dix ans ! Remarquez, au train où vont les COP, sans apporter un seul progrès, mes petites lignes
5 restaient encore d'actualité. [...] Il date donc du 7 novembre 2008 :

Nous y voilà, nous y sommes.
Depuis cinquante ans que cette tourmente menace dans les hauts-fourneaux l'incurie de l'humanité, nous y sommes. Dans le mur, au bord du gouffre, comme seul l'homme sait le faire avec brio, qui ne perçoit la réalité que lorsqu'elle fait mal.
10 Telle notre bonne vieille cigale[1] à qui nous prêtons nos qualités d'insouciance. Nous avons chanté, dansé. Quand je dis « nous », entendons un quart de l'humanité tandis que le reste était à la peine.
Nous avons construit la vie meilleure, nous avons jeté nos pesticides à l'eau, nos fumées dans l'air, nous avons conduit trois voitures, nous avons vidé les mines, nous avons mangé des fraises du bout du monde, nous avons voyagé en tous sens, nous avons éclairé les nuits, nous avons chaussé des tennis qui clignotent quand
15 on marche, nous avons grossi, nous avons mouillé le désert, acidifié la pluie, créé des clones, franchement, on peut dire qu'on s'est bien amusés.
On a réussi des trucs carrément épatants, très difficiles, comme faire fondre la banquise, glisser des bestioles génétiquement modifiées sous la terre, déplacer le Gulf Stream, détruire un tiers des espèces vivantes, faire péter l'atome, enfoncer des déchets radioactifs dans le sol, ni vu ni connu. Franchement on s'est marrés.
20 Franchement on a bien profité. Et on aimerait bien continuer, tant il va de soi qu'il est plus rigolo de sauter dans un avion avec des tennis lumineuses que de biner[2] des pommes de terre. Certes.
Mais nous y sommes.
À la Troisième Révolution. Qui a ceci de très différent des deux premières (la Révolution néolithique et la Révolution industrielle, pour mémoire) qu'on ne l'a pas choisie.
25 « On est obligés de la faire, la Troisième Révolution ? » demanderont quelques esprits réticents et chagrins. Oui. On n'a pas le choix, elle a déjà commencé, elle ne nous a pas demandé notre avis. C'est la mère Nature qui l'a décidé, après nous avoir aimablement laissés jouer avec elle depuis des décennies. La mère Nature, épuisée, souillée, exsangue, nous ferme les robinets. De pétrole, de gaz, d'uranium, d'air, d'eau.
Son ultimatum est clair et sans pitié : Sauvez-moi, ou crevez avec moi (à l'exception des fourmis et des
30 araignées qui nous survivront, car très résistantes, et d'ailleurs peu portées sur la danse).
Sauvez-moi, ou crevez avec moi. Évidemment, dit comme ça, on comprend qu'on n'a pas le choix, on s'exécute illico et, même, si on a le temps, on s'excuse, affolés et honteux. D'aucuns, un brin rêveurs, tentent d'obtenir un délai, de s'amuser encore avec la croissance.
Peine perdue. Il y a du boulot, plus que l'humanité n'en eut jamais. Nettoyer le ciel, laver l'eau, décrasser la
35 terre, abandonner sa voiture, figer le nucléaire, ramasser les ours blancs, éteindre en partant, veiller à la paix, contenir l'avidité, trouver des fraises à côté de chez soi, ne pas sortir la nuit pour les cueillir toutes, en laisser au voisin, relancer la marine à voile, laisser le charbon là où il est – attention, ne nous laissons pas tenter, laissons ce charbon tranquille –, récupérer le crottin, pisser dans les champs (pour le phosphore, on n'en a plus, on a tout pris dans les mines, on s'est quand même bien marrés).
40 S'efforcer. Réfléchir, même. Et, sans vouloir offenser avec un terme tombé en désuétude, être solidaire. Avec le voisin, avec l'Europe, avec le monde.
Colossal programme que celui de la Troisième Révolution. Pas d'échappatoire, allons-y. Encore qu'il faut noter que récupérer du crottin, et tous ceux qui l'ont fait le savent, est une activité foncièrement satisfaisante. Qui n'empêche rien de danser le soir venu, ce n'est pas incompatible. À condition que la paix soit là, à condition
45 que nous contenions le retour de la barbarie, une autre des grandes spécialités de l'homme, sa plus aboutie peut-être.
À ce prix, nous réussirons la Troisième Révolution. À ce prix, nous danserons, autrement, sans doute, mais nous danserons encore.

Vous voyez, il n'y avait pas de quoi casser des briques. Et c'est ainsi, au cœur d'une profonde nuit, que l'idée
50 d'un petit livret du même tonneau me parut tout à fait abordable, et même réjouissante, voire exaltante, si elle pouvait être de quelque modeste utilité.

L'humanité en péril, Fred Vargas, Flammarion, 2019.

1. Allusion à la fable de Jean de la Fontaine « La Cigale et la Fourmi ». 2. retourner la terre pour l'ameublir.

1. a. Lisez l'extrait de l'essai. Qu'est-ce qui justifie la présence du texte de 2008 dans l'ouvrage de 2019 ?

....

b. Quel est le ton du texte de 2008 ? ....

c. L'auteure est-elle vraiment surprise que son texte ait été lu dix ans plus tard à l'inauguration de la COP 24 ? Pourquoi ?

....

d. Relevez des exemples dans le texte correspondant aux problèmes évoqués.

1. La surexploitation des ressources naturelles : ....

2. La pollution de l'air, de l'eau et des sols : ....

3. L'émission de CO_2 due à la recherche de confort et de plaisir : ....

4. La disparition de la biodiversité : ....

5. La création de besoins inutiles : ....

e. Vrai ou faux ? Cochez et justifiez avec des extraits du texte.

1. Fred Vargas reproche aux hommes leur manque d'anticipation. ☐ Vrai ☐ Faux

Justification : ....

2. Elle pense que chacun est conscient du changement nécessaire. ☐ Vrai ☐ Faux

Justification 1 : ....

Justification 2 : ....

3. La nature ne laisse pas d'autre choix à l'Homme que de venir à son secours. ☐ Vrai ☐ Faux

Justification : ....

4. L'humanité est arrivée à un point de non retour. ☐ Vrai ☐ Faux

Justification : ....

2. a. Relisez l'extrait de l'essai. Qui précisément Fred Vargas accuse-t-elle dans ce texte : « Quand je dis "nous", entendons un quart de l'humanité tandis que le reste était à la peine. » (l. 11) ? Qui sont les autres à votre avis ?

....

b. À quel insecte Fred Vargas compare-t-elle ceux qu'elle accuse ? Pourquoi ?

....

c. En quoi consiste la Troisième Révolution dont parle l'auteure ? Quelles sont les conditions humaines et politiques pour la réussir ?

....

d. Pour souligner l'ineptie des comportements humains, Fred Vargas utilise l'ironie et le paradoxe. Relevez des exemples.

L'ironie (*2 exemples*)

1. ....

2. ....

Le paradoxe (*3 exemples*)

1. .... 2. .... 3. ....

f. Fred Vargas est-elle pessimiste ou optimiste ?

....

🎧 Compréhension de l'oral | 25 points

Première partie | 🎧◄42 18 points

> Vous allez entendre deux fois un enregistrement sonore de 6 minutes environ :
> – vous aurez tout d'abord 3 minutes pour lire les questions ;
> – puis vous écouterez une première fois l'enregistrement ;
> – vous aurez ensuite 3 minutes pour répondre aux questions ;
> – vous écouterez une seconde fois l'enregistrement ;
> – vous aurez encore 5 minutes pour compléter vos réponses.
>
> Pour répondre aux questions, il faudra cocher (x) la bonne réponse ou écrire l'information demandée.

🎧◄42 **Lisez les questions, écoutez le document puis répondez.**

1. Quel est le sujet principal de cette émission sur les villes ? — 1 point
☐ a. Leur dimension.
☐ b. Leur préservation.
☐ c. Leur administration.

2. Qu'a fait Thierry Pacot au cours de ses recherches sur les villes ? — 1 point
☐ a. Il a cartographié des territoires sur plusieurs années.
☐ b. Il a parcouru la littérature de tout temps sur le sujet.
☐ c. Il s'est informé auprès d'architectes du monde entier.

3. Avec quelle position des Nations unies Thierry Pacot est-il en désaccord ? — 2 points
....
....

4. Que dénonçait Thierry Pacot dans son ouvrage *Désastres urbains (2 réponses attendues)* ? — 2 points
....

5. Selon Thierry Pacot, quelles sont les caractéristiques fondatrices d'une ville *(2 réponses attendues)* ? — 2 points
....

6. Que reproche Thierry Pacot à l'enclave résidentielle sécurisée ? — 2 points
....

7. Qu'explique Thierry Pacot sur la décroissance et les mégalopoles ? — 1 point
....
....

8. À quel phénomène sur les villes s'intéresse-t-on à partir des années 90 ? — 2 points
☐ a. La relation entre leur richesse et leur taille.
☐ b. Leur autonomie alimentaire et énergétique.
☐ c. L'origine de l'exode urbaine de leurs habitants.

9. Pour Thierry Pacot, l'inquiétude écologique implique de… — 1 point
☐ a. repenser le rapport urbain-rural.
☐ b. reconsidérer ses relations à l'autre.
☐ c. réinventer la mobilité dans les villes.

10. Quelle réorganisation propose Thierry Pacot ? — 2 points
....

11. Pour Thierry Pacot, qu'apporte le concept de bio-régionalisme ? 2 points

. . . .

Deuxième partie

🎧 ▶ 43 et 44 **7 points**

> Vous allez entendre une seule fois deux courts extraits radiophoniques.
>
> Pour chacun des extraits :
> – vous aurez 50 secondes pour lire les questions ;
> – puis vous écouterez l'enregistrement ;
> – vous aurez ensuite 50 secondes pour répondre aux questions.

DOCUMENT 1

🎧 ▶ 43 **Lisez les questions, écoutez le document puis répondez.**

1. Quel est le but des sites mentionnés dans l'émission ? 1 point
☐ a. Faciliter l'échange d'objets.
☐ b. Réparer des objets abîmés.
☐ c. Proposer des objets gratuits.

2. Selon Valère Corréard, qu'est-ce qui permet l'expansion de ce type de sites ? 1 point

. . . .

3. Qu'explique Sophie Nass à propos des utilisateurs de ces sites ? 1 point
☐ a. Ils interviennent auprès des plus démunis.
☐ b. L'environnement est secondaire pour eux.
☐ c. Leur profil s'est transformé au fil du temps.

4. Quelle opinion exprime Sophie Nass au sujet de donnons.org ? 1 point
☐ a. Il est primordial de proposer des objets de qualité.
☐ b. Il convient de se montrer tolérants avec les revendeurs.
☐ c. Il faut encourager les programmes d'emploi de réinsertion.

DOCUMENT 2

🎧 ▶ 44 **Lisez les questions, écoutez le document puis répondez.**

1. Quel sujet traite cette émission ? 1 point
☐ a. La transparence du journalisme.
☐ b. L'omniprésence de l'information.
☐ c. La raison d'être de certains médias.

2. Selon Lise Verbeke, que souhaite le journal *Le Monde* ? 1 point
☐ a. Conquérir un nouveau type de public.
☐ b. Promouvoir les abonnements en ligne.
☐ c. Proposer des formations aux étudiants.

3. Que recommande Sébastien Rochat aux élèves ? 1 point
☐ a. De signaler les contenus choquants sur Internet.
☐ b. D'apprendre à varier leur source d'informations.
☐ c. De s'intéresser à la gestion des revenus d'un média.

Compréhension des écrits **25 points**

Lisez le texte puis répondez aux questions.

Avons-nous trop d'attentes vis-à-vis de notre travail ?

Les jeunes actifs entretiennent un rapport ambigu à la question du travail. D'un côté celui-ci cristallise beaucoup d'attentes et d'investissement. D'un autre côté, les jeunes paraissent de moins en moins enclins à accepter n'importe quel emploi, encore moins à lui consacrer toute leur énergie.

Le travail est aujourd'hui porteur de nombreuses questions et de souffrances. Le stress au travail est devenu une véritable préoccupation pour les salariés, les entreprises, et même l'État, puisqu'il coûterait chaque année environ 3 % du PIB français. Au désormais bien connu burn-out (épuisement profession-nel), on peut ajouter le bore-out (épuisement par l'ennui) ou encore le brown-out (perte de sens). Enfin, le tableau ne serait pas complet sans les troubles dont témoignent de nombreux chômeurs et retraités : même l'absence de travail est une source de souffrance.

Pourtant, dans la société actuelle, le travail est ce qui nous définit, à nos propres yeux et à ceux des autres. Il nous procure la capacité d'avoir ce qu'il faut pour vivre et exister socialement. Il nous donne une raison d'être. C'est ce qu'illustre un sondage Deloitte-Viadéo datant de 2017 : le sens du travail est une préoccupation pour 87 % des salariés interrogés, d'autant qu'ils sont 56 % à affirmer qu'il se dégrade.

Selon les classes sociales, les niveaux de rémunération, les types d'emplois, etc., on ne met pas nécessairement la même idée derrière le terme de « sens ». Mais ce qui est clair, c'est que c'est par le travail qu'on attend d'être reconnu par les autres, de se rendre utile à la collectivité et de se sentir valorisé. Autrement dit, le « faire » (ce en quoi consiste notre travail), l'« être » (comment il nous définit) et l'« avoir » (les biens et les droits auxquels il nous permet de prétendre) se confondent. Et cela ne va pas sans poser de problèmes. La crainte de perdre en « être » et en « avoir » peut empêcher de quitter un emploi aliénant ou absurde. De nombreux travailleurs consacrent ainsi toute leur énergie dans des tâches qu'ils détestent et qui les font souffrir. […] Ce phénomène touche de nombreux jeunes actifs, réduits à enchaîner les stages sans intérêt ou à accepter un emploi pour lequel ils sont surqualifiés. Ce n'est pas seulement la peur du chômage qui les anime, mais un sincère désir de bien faire et d'être ainsi reconnu par la société, leurs collègues et leurs supérieurs.

À l'inverse, on assiste à un retour en force des métiers de l'artisanat, notamment auprès de jeunes cadres, c'est-à-dire à une revalorisation du faire. Contre la taylorisation des tâches, à l'usine comme au bureau, ils désirent se livrer au quotidien à des gestes qui ont un sens pour eux. On retrouve un désir similaire dans les activités de « semi-loisir » que sont le jardinage, le tricot, le bricolage, ou encore dans la bonne santé du bénévolat en France. Au-delà de la rémunération, tout se passe comme si on ne pouvait se « sentir être » autrement qu'en faisant quelque chose : ne rien faire, c'est n'être rien.

Le travail comme seul horizon

Que le « faire », l'« être » et l'« avoir » s'entremêlent dans le travail nous paraît évident. Or ce n'est pas le cas, ne serait-ce que parce qu'il n'en a pas toujours été ainsi. On peut même y voir une des causes des « nouvelles » maladies professionnelles : le travail, aujourd'hui, est surinvesti par rapport aux autres aspects de la vie. Peut-être attendons-nous trop de choses de notre travail. Par exemple qu'il nous « réalise », qu'il nous « émancipe ».

Avant le XIXe siècle, on ne considérait le travail que comme l'une des possibilités de « civiliser » la nature : c'était aussi le rôle de « l'art, la religion, la morale, les institutions, la politique, le raisonnement, le savoir », c'est-à-dire de la culture dans toute sa diversité. Depuis deux siècles seulement, cette diversité s'est réduite. L'art et la politique se sont professionnalisés ; pour avoir de la valeur, le savoir doit être utile ; la religion et la morale sont considérées en Occident comme des « vieilleries » ; les institutions ont perdu de leur prestige…

En considérant que tout est travail, et que le travail est la source de notre salut, on a abouti à priver l'être humain de tout autre lieu de réalisation. Les étudiants désirent savoir à quoi vont leur servir les matières qui n'ont pas d'utilité technique immédiate (la philosophie, la littérature, les mathématiques théoriques, etc.). Le temps est divisé entre la production et le divertissement, sans laisser aucune place à l'intériorité, à l'intimité, d'un côté ; à la politique, à la culture dans sa dimension collective, de l'autre.

Vers la fin du travail ?

D'où une question d'une brûlante actualité : si nous sommes à l'aube d'une nouvelle ère où nous n'aurons plus besoin de travailler parce que les machines s'en chargeront à notre place, ainsi que nous le promettent les « évangélistes » de la Silicon Valley, devons-nous l'appeler de nos vœux, ou plutôt la craindre ? L'idée d'un revenu universel, portée par les libertariens améri-cains et popularisée par Benoît Hamon lors de sa campagne pour les élections présidentielles, ou bien celle d'un salaire à la qualification plutôt qu'à l'emploi (théorisée par Bernard Frio) semblent avoir un certain écho auprès des jeunes. Ces propositions vont dans le sens d'une déconnexion entre le faire, l'être et l'avoir. L'individu ne serait plus contraint de louer sa force de travail, mais serait libre de faire ce qu'il aime, de trouver son propre lieu de réalisation sans être culpabilisé (au contraire des chômeurs ou des retraités d'aujourd'hui).

Une autre possibilité serait la réduction drastique de la durée hebdomadaire du travail, ou encore l'augmentation du nombre de jours de congés. Chacun ferait une partie du travail collectif et bénéficierait de plus de temps pour se livrer à ses activités préférées. Le travail pourrait ainsi rester une activité ayant du sens, mais ne serait plus la seule.

Toutefois, notre société est si profondément structurée par le travail qu'il n'est pas impossible que nous en libérer nous plongerait dans l'apathie, et nous livrerait pieds et poings liés au consumérisme effréné. Il me paraît néanmoins que l'oisiveté, comme toutes choses, peut s'apprendre.

Thomas Schauder, lemonde.fr, 16 octobre 2019.

1. Dans cet article, l'auteur…　　　　　　　　　　　　　　　　　　　　2 points
　　☐ a. défend les valeurs liées au travail.
　　☐ b. interroge notre rapport au travail.
　　☐ c. dénonce les inégalités au travail.

2. Vrai ou faux ? Choisissez la bonne réponse et recopiez la phrase ou une partie du texte
qui justifie votre réponse.　　　　　　　　　　　　　　　　　　　　6 points
(3 points si le choix V / F et la justification sont corrects, sinon aucun point ne sera attribué.)
　　a. Les jeunes travailleurs ont de moins en moins d'ambition professionnelle.　☐ Vrai　☐ Faux
　　Justification : . . . .
　　b. Le mal-être généré par le travail épargne les personnes non actives.　☐ Vrai　☐ Faux
　　Justification : . . . .

3. Qu'explique l'auteur au sujet du « sens » du travail ?　　　　　　　　　　2 points
　　☐ a. Il évolue au gré du temps.
　　☐ b. Il varie d'un groupe à l'autre.
　　☐ c. Il est incompris par les jeunes.

4. Que dit l'auteur à propos des jeunes travailleurs ?　　　　　　　　　　2 points
　　☐ a. Ils sont fréquemment au chômage.
　　☐ b. Ils sont en quête de reconnaissance.
　　☐ c. Ils craignent les postes à responsabilités.

5. Quel phénomène observe-t-on chez certains jeunes cadres ?　　　　　　2 points
　　☐ a. Ils se reconvertissent vers des professions manuelles.
　　☐ b. Ils ont l'ambition d'évoluer au sein de leur entreprise.
　　☐ c. Ils se plaignent du manque de reconnaissance salariale.

6. Comment l'auteur explique-t-il l'apparition des nouvelles maladies professionnelles ?
Reformulez avec vos propres mots.　　　　　　　　　　　　　　　　3 points
. . . .
. . . .
. . . .

7. Qu'est-ce que l'évolution de la relation au travail a modifié pour les étudiants ?　2 points
　　☐ a. Leur ordre des priorités.
　　☐ b. Leur regard sur la société.
　　☐ c. Leur détermination à réussir.

8. Pour l'auteur, quelles initiatives permettraient un plus grand épanouissement de l'individu
au travail ? Citez-en deux.　　　　　　　　　　　　　　　　　　　3 points
. . . .

9. Vrai ou faux ? Choisissez la bonne réponse et recopiez la phrase ou une partie du texte
qui justifie votre réponse.　　　　　　　　　　　　　　　　　　　3 points
(3 points si le choix V / F et la justification sont corrects, sinon aucun point ne sera attribué.)
Selon l'auteur, la transformation de notre rapport au travail nous permettra de devenir
des consommateurs responsables.　　　　　　　　　　　　　　☐ Vrai　☐ Faux
Justification : . . . .

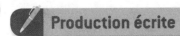

Production écrite
25 points

Durée : 2 h 30

Épreuve n° 1 : synthèse de documents
13 points

Vous ferez une synthèse des documents proposés, en 220 mots environ. Pour cela, vous dégagerez les idées et les informations essentielles qu'ils contiennent, vous les regrouperez et les classerez en fonction du thème commun à tous ces documents, et vous les présenterez avec vos propres mots, sous forme d'un nouveau texte suivi et cohérent.

Attention :
– vous devez rédiger un texte unique en suivant un ordre qui vous est propre, et non mettre deux résumés bout à bout ;
– vous ne devez pas introduire d'autres idées ou informations que celles qui se trouvent dans les documents, ni faire de commentaires personnels ;
– vous pouvez bien entendu réutiliser les mots-clefs des documents, mais non des phrases ou des passages entiers.

200 à 240 mots

Règle de décompte des mots : est considéré comme mot tout ensemble de signes placés entre deux espaces (« c'est-à-dire » = 1 mot ; « un bon sujet » = 3 mots ; « je ne l'ai pas vu depuis avant-hier » = 7 mots).

Attention : le respect de la consigne de longueur fait partie intégrante de l'exercice (fourchette acceptable donnée par la consigne). Dans le cas où la fourchette ne serait pas respectée, on appliquera une correction négative : 1 point de moins par tranche de 20 mots en plus ou en moins.

DOCUMENT 1

Non, il ne faut pas combattre la « fracture numérique »

[...] Bien que contestée par la plupart des chercheurs, la notion de « fracture numérique » revient fréquemment dans le débat public. L'emploi abusif de cette expression est loin d'être sans conséquence. C'est ce que nous démontrons à l'issue de l'exploration Capital numérique, une étude qui s'est intéressée aux pratiques numériques d'habitants de quartiers prioritaires.

Parler de fracture numérique, c'est adopter une vision simpliste, binaire et donc tronquée de la réalité. Il y aurait d'un côté des inclus et de l'autre des exclus. Pourtant, le manque de sensibilisation aux enjeux de la société numérique est généralisé. Comprendre pourquoi il faut maîtriser ses traces sur Internet, son identité numérique, protéger sa confidentialité, et être ensuite capable de le faire. Ce sont autant d'actions qui dépassent tous les Français, alors même que leurs pratiques numériques ne cessent de se diversifier, y compris dans les classes populaires.

Les habitants des quartiers « Politique de la ville » que nous avons rencontrés au cours de l'étude Capital numérique ne sont pas en reste. Facebook, Snapchat ou WhatsApp sont utilisés tant pour communiquer, s'informer que pour apprendre au quotidien, même par des personnes ne sachant ni lire ni écrire. Certains habitants rencontrés se rendent sur YouTube pour apprendre le français. Est-ce à dire que ces habitants ne rencontrent pas de difficultés quand ils ont recours à certains services numériques ? Non, évidemment. Mais leurs difficultés ne sont pas celles que l'on croit. Rémi, 24 ans, né en France, ne parvient pas à retrouver ses mots de passe ni à accéder à ses nombreuses boîtes mails sur son smartphone. Pourtant, il utilise tout aussi bien sa PlayStation 4 pour jouer que pour accéder à des services en ligne comme Netflix. Ce qui est le plus bloquant pour lui, c'est d'être isolé. Il ne travaille pas et a peu d'amis : il a un usage très occasionnel des mails et des messageries instantanées. Pour Makatouch, travailleur migrant de 37 ans, ce n'est pas son réseau de sociabilités qui pose problème. Il cumule deux activités professionnelles et vient de lancer une chaîne YouTube proposant une actualité différente sur son pays d'origine. Pourtant, il a besoin d'aide pour demander le renouvellement de son titre de séjour en ligne. Sa principale difficulté, c'est de lire et écrire en français.

Parler de fracture numérique, c'est pointer du doigt un mal que seules des solutions numériques seraient à même de soigner. Mais ce n'est pas le numérique qui renforcera la confiance de Rémi et Makatouch en eux-mêmes, et encore moins à l'égard des institutions. Même constat avec des collégiens et collégiennes de 9 à 14 ans. Pour eux qui maîtrisent Wikipédia mais ne voient son utilité que dans un cadre scolaire (comme le dictionnaire), les difficultés ne sont pas d'ordre numérique. Elles tiennent d'abord au rapport à l'école et à l'information. [...] Pour espérer y répondre, on ne peut pas se contenter de distribuer des tablettes dans les collèges. On ne peut pas agir en surface.

Parler de fracture numérique, c'est donc essentialiser les difficultés et supposées lacunes des personnes sans interroger les mécanismes de leur (re)production. On place les dysfonctionnements du côté des utilisateurs, pour lesquels on déploie des programmes d'« inclusion » et de « pédagogie », sans s'intéresser à la façon dont les services, interfaces et dispositifs d'accompagnement numérique sont conçus. Prennent-ils en compte les situations des personnes ?

Répondent-ils à leurs besoins ?

Prenons l'exemple de la dématérialisation. Loin de simplifier les démarches administratives, elle numérise leur complexité. L'écrit est toujours prépondérant, le langage administratif, complexe, et les interfaces peu ergonomiques. Cette numérisation-là, doublée d'une fermeture progressive des guichets d'accueil physiques, génère de la solitude et de l'anxiété pour des millions de citoyens qui ont besoin d'être rassurés. Avec pour conséquence le non-recours à leurs droits. [...]

Taoufik Vallipuram, liberation.fr, 29 décembre 2019.

DOCUMENT 2

L'accès aux technologies et leur maîtrise, premier facteur d'exclusion

Aujourd'hui, ne pas savoir se servir d'un ordinateur pour chercher un emploi ou même remplir un formulaire pour accéder aux aides sociales est une véritable barrière.

Si le numérique peut aider à accéder à l'emploi, ne pas en maîtriser les bases peut aussi être lourdement pénalisant dans le monde du travail. En la matière, la première des inégalités créée par l'ordinateur, le smartphone et Internet est celle qui sépare les « initiés » des autres.

Aujourd'hui, ne pas savoir se servir d'un ordinateur pour chercher un emploi ou même remplir un formulaire pour accéder aux aides sociales est une véritable barrière. Or, on estime qu'en France 12 % de la population ne se connecte jamais à Internet. Selon l'Organisation de coopération et de développement économiques (OCDE), parmi la population adulte des pays membres, une personne sur deux est incapable de mener à bien une tâche aussi simple que de surfer sur le Web (« Policy Brief on the Future of Work. Skills for a Digital World », 2016).

« Peur de casser l'ordinateur »

Jen Schradie, chercheuse à l'Institut d'études avancées (IEA) de Toulouse, travaille depuis une dizaine d'années sur le sujet. « Utiliser les technologies numériques apparaît compliqué parce qu'il y a sans cesse de nouvelles applications, de nouveaux appareils, de nouveaux logiciels, et que c'est intimidant pour beaucoup de personnes, souligne-t-elle. Beaucoup de gens issus de milieux populaires, au cours de mes enquêtes, disent que le digital, ce n'est pas eux. Une personne m'a dit un jour qu'elle n'osait pas utiliser son ordinateur de peur de le casser. »

Ce à quoi il faut ajouter un aspect financier, rappelle la chercheuse : « Certains ont un ordinateur pour toute la famille, et ils ne peuvent avoir accès à Internet que rarement. S'il faut se serrer la ceinture financièrement, on peut aussi renoncer à payer un accès à Internet. Et si l'ordinateur tombe en panne, il ne sera pas réparé. »

Enfin, le facteur temps pèse dans la balance. Difficile de pianoter sur son smartphone lorsque l'on est ouvrier, cuisinier ou posté derrière une caisse toute la journée. « Tout cela rend l'accès au digital bien plus difficile, assure Jen Schradie. Et puis, dans le contexte actuel, particulièrement aux États-Unis, la crainte de poster des propos qui seront mal perçus, ou qui peuvent mener à la perte d'emploi, est forte également. »

Béatrice Madeline, lemonde.fr, 1er juillet 2018.

Épreuve n° 2 : essai argumenté   12 points

Suite à l'annonce du programme de réduction de la fracture numérique par le gouvernement, vous proposez votre contribution sous forme d'une lettre ouverte au ministre de l'Éducation et de la Recherche. En tant que membre d'une association, vous présentez votre point de vue sur cette question. Conscient des effets positifs de ce programme, vous en présentez également les limites. Vous insistez sur les problèmes de fond que ce programme soulève et vous proposez des solutions pour réduire efficacement cette fracture.

250 mots minimum

Production orale   25 points

Cette épreuve se déroulera en deux temps.

Préparation : 60 minutes
Passation : 30 minutes environ

1. Exposé avec préparation   8 à 10 minutes

À partir des documents proposés, vous préparerez un exposé sur le thème indiqué, et vous le présenterez au jury. Votre exposé présentera une réflexion ordonnée sur ce sujet. Il comportera une introduction et une conclusion et mettra en évidence quelques points importants (3 ou 4 maximum).

Attention : les documents sont une source documentaire pour votre exposé. Vous devez pouvoir en exploiter le contenu en y puisant des pistes de réflexion, des informations et des exemples, mais vous devez également introduire des commentaires, des idées et des exemples qui vous sont propres afin de construire une véritable réflexion personnelle. En aucun cas, vous ne devez vous limiter à un simple compte rendu des documents.

L'usage de dictionnaires monolingues français / français est autorisé.

2. Entretien sans préparation   15 à 20 minutes

Le jury vous posera ensuite quelques questions et s'entretiendra avec vous à propos du contenu de votre exposé.

> **SUJET**

THÈME DE L'EXPOSÉ :
Doit-on arrêter de consommer ?

DOCUMENT 1

« Black Friday » ou la honte du shopping

Face à la grand-messe consumériste du « Vendredi noir », des initiatives, tel le « Vendredi équitable* », poussent les adeptes du bon plan à acheter « responsable ». Une bonne conscience pour pas cher ?

[…] Majoritairement d'origine nord-américaine, de nouvelles mythologies commerciales d'importation se sont développées en France ces dernières années. Apparu en 2013 chez nous, le Black Friday (parfois dénommé « Vendredi noir » ou « XXL »), journée de promotions monstres qui aura lieu vendredi 29 novembre, en est le principal emblème. Savamment mise en scène, cette grand-messe consumériste, qui devrait générer cette année 5,9 milliards d'euros de dépenses (étude RetailMeNot), contribue à entretenir ce que le sociologue Razmig Keucheyan nomme « les besoins artificiels ».

Si elle s'accompagne pour certains de l'angoisse de « rater le bon plan » (oui, ce magnifique extracteur de jus à – 75 %), elle génère aussi un écœurement croissant, comme si elle était le signe ultime que notre civilisation marche sur la tête. En effet, pourquoi investir dans un énième pantalon quand, d'après une étude de l'Agence européenne de l'environnement, près d'un tiers de la garde-robe des Européens n'a pas été sorti du placard depuis au moins un an ? « J'ai de plus en plus de mal à aller faire du shopping alors que les trottoirs sont remplis de SDF qui n'ont même pas le strict nécessaire pour vivre », confie Damien, un communicant de 35 ans, qui, cette année, boycottera le Black Friday.

[…] Forgerons linguistiques, les Suédois ont fabriqué un mot pour qualifier cet état d'âme émergent : le « köpskam ». Soit la honte (*skam*) de faire des achats (*köp*). Construit sur le même mode que « *flygskam* » (la honte de prendre l'avion), ce néologisme s'applique en premier lieu à l'industrie de la mode, montrée du doigt pour ses impacts environnementaux et sociaux négatifs. D'après une étude des Nations unies, la confection d'un simple jean nécessiterait 7 500 litres d'eau, soit ce que boit en moyenne un humain durant sept ans.

Le *köpskam* a-t-il d'ores et déjà des effets en France ? S'il est difficile d'établir un lien précis entre un sentiment diffus et des comportements de consommation aux motivations multi-factorielles, on peut néanmoins noter que le marché de l'habillement a connu en 2018 un recul de 2,9 % de ses ventes, selon l'Institut français de la mode, baisse qui se confirmait au premier semestre 2019. Autre indice : le boom du marché de la seconde main. Si la honte ne constitue pas toujours un levier durable pour réorienter les conduites et peut parfois générer des comportements de dissimulation un brin puérils (selon l'IFOP, 22 % des Français se cachent pour manger de la « mal bouffe »*), elle est aujourd'hui prise très au sérieux dans les stratégies marketing.

Dénonçant « une journée infernale de surconsommation imposée par le marché », 80 marques se sont associées cette année […] pour encourager les consommateurs à faire le tri dans leurs affaires, réparer, donner, recycler. « Nous avons l'intime conviction que consommer, c'est voter », argumente le collectif, se rangeant sous l'étendard de l'achat vertueux et raisonné […].

Nicolas Santolaria, lemonde.fr, 26 novembre 2019.

*en anglais dans le texte.

DOCUMENT 2

Black Friday : savoir dire non

Alain Souchon a déjà tout dit dans sa magnifique chanson ; « Foule sentimentale » : « On nous fait croire / Que le bonheur c'est d'avoir / De l'avoir plein nos armoires / Dérision de nous, dérisoire ». Et quoi de plus dérisoire en effet que cette débauche de publicités, promesses de rabais monstres, qui ont annoncé hier ce « black Friday », marketing-roi pour vendre n'importe quoi à un maximum de gens, hors de toute nécessité, puisque tout est fait pour nous créer des besoins artificiels. Cette folie consumériste, qui voit des foules se ruer sur n'importe quoi et parfois en venir aux mains, devrait générer cette année 5,9 milliards d'euros de dépenses. Comme si cette mode, venue des États-Unis, visait à contrecarrer les critiques contre une société de consommation qui cherche à vous pressuriser un peu plus par des super soldes. Mais il y a aussi les questions climatiques qui se posent désormais, d'où le « greenwashing », cette façon de repeindre en vert la consommation.

Hier, en bloquant les accès d'un centre logistique d'Amazon, une cinquantaine de militants d'Action non violente-COP21 et des Amis de la Terre ont donné le coup d'envoi des mobilisations contre la surconsommation du Black Friday. Car la pieuvre Amazon, pour un chiffre d'affaires équivalent à Fnac-Darty, paie moitié moins d'impôts en France. Et pour chaque emploi créé chez Amazon, 2,2 emplois sont détruits dans le commerce traditionnel.

Vous connaissez l'obsolescence programmée, cette stratégie industrielle visant à produire des objets ayant une durée de vie limitée, si possible dès la fin de la garantie, dans le but de nous pousser à racheter ? Mais savez-vous que la garantie légale de conformité permet à tout consommateur d'obtenir pendant deux ans, la réparation ou le remplacement de son bien en cas de défaut ? Un amendement permettant d'allonger de 6 mois la garantie pour les consommateurs qui optent pour la réparation. Car nous marchons sur la tête. Au moment où la crise écologique devrait nous conduire à envisager une limitation de nos ressources, cette grande messe de la consommation pousse au « toujours plus », alors qu'au contraire, il faudrait un plan de décélération de la consommation pour lutter contre le gaspillage des ressources : pourquoi investir dans un énième pantalon quand, d'après une étude de l'Agence européenne de l'environnement, près d'un tiers de la garde-robe des Européens n'a pas été sorti du placard depuis au moins un an ? Le moyen le plus efficace et le plus responsable de gagner en pouvoir d'achat ne serait-il pas de consommer moins… mais mieux ? Vous renouvelez votre garde-robe ? Misez sur des vêtements de qualité, en matières écologiques et solides, que vous aimerez plus longtemps.

Jean-Marcel Bouguereau, marianne.net, 3 décembre 2019.

ÉPREUVE D'ENTRAÎNEMENT DALF C2

 Compréhension et production orales **50 points**

Préparation : 1 heure après les deux écoutes – Passation : 30 minutes

— Vous allez entendre deux fois un enregistrement de 15 minutes environ.
— Vous écouterez une première fois l'enregistrement. Concentrez-vous sur le document. Vous êtes invité(e) à prendre des notes.
— Vous aurez ensuite 3 minutes de pause.
— Vous écouterez une seconde fois l'enregistrement.
— Vous aurez alors une heure pour préparer votre intervention.
— Cette intervention se fera en trois parties :
  ● présentation du contenu du document sonore ;
  ● développement personnel à partir de la problématique proposée dans la consigne ;
  ● débat avec le jury.

L'usage de dictionnaires monolingues français / français est autorisé.

1. Monologue suivi : présentation du document   🎧 H45 **5 à 10 minutes**

Vous devez présenter, <u>en 5 à 10 minutes</u>, le contenu du document. Vous aurez soin de reprendre l'ensemble des informations et points de vue exprimés <u>dans un ordre</u> et <u>selon une structure logique et efficace</u> qui faciliteront l'écoute pour le destinataire.

2. Monologue suivi : point de vue argumenté   **10 minutes environ**

SUJETS AU CHOIX

Le jury tient le rôle de modérateur du débat.

SUJET 1

En tant que représentant d'une association de parents d'élèves en France, vous participez à un débat sur le rôle de la nature dans le développement cognitif de l'enfant. Vous expliquez les bénéfices que peuvent apporter les activités à l'air libre pour l'enfant, tant dans le cadre privé que scolaire. Vous insistez notamment sur les limites des établissements trop fermées et des pédagogies traditionnelles. Vous proposez des pistes pour introduire des projets impliquant les différents acteurs de la communauté éducative.

SUJET 2

En tant que professeur dans un établissement francophone, vous participez à une conférence sur l'enfant et la nature. Même si vous êtes conscient des bienfaits de la nature sur les élèves, vous présentez les priorités qui sont les vôtres en tant qu'enseignant. Vous expliquez vos réticences face aux sorties scolaires en extérieur, tant en termes de responsabilités que d'organisation. Vous soulignez les adaptations et les moyens à mettre en œuvre pour permettre à l'institution scolaire et à ses enseignants de faire évoluer leurs pratiques dans ce domaine.

Quel que soit le sujet choisi, vous aurez soin de présenter, <u>en une dizaine de minutes, idées et exemples</u> pour étayer vos propos, et d'organiser votre discours de manière élaborée et fluide, avec une structure logique et efficace qui aidera le destinataire à remarquer les points importants.

3. Exercice en interaction : débat   **10 minutes environ**

Dans cette partie, vous débattrez avec le jury. Vous serez amené(e) à défendre, nuancer, préciser votre point de vue et à réagir aux propos de votre interlocuteur / interlocutrice.
Vous ne disposez pas de temps de préparation pour cet exercice.

DOSSIER

Comment repenser la mobilité ?

Lisez les documents suivants.

DOCUMENT 1

« Le maître mot, c'est anticiper » : comment des citadins ont appris à se passer de leur véhicule

Comme Caroline ou Hervé, ils sont nombreux à vouloir changer de comportement en matière de mobilité, pour des raisons écologiques ou économiques.

Elle en parle comme d'un sevrage, une dépendance dont il est difficile de se défaire. La voiture, Caroline Babilotte en a longtemps été accro. « Je l'utilisais pour tout, je ne faisais plus rien à pied », raconte cette Lilloise de 47 ans [...]. Puis l'idée a commencé à lui trotter dans la tête qu'il était temps de changer ses habitudes, tant il lui paraissait de plus en plus « ridicule » de prendre la voiture pour des trajets courts – surtout quand on dispose d'au moins quatre lignes de bus en bas de chez soi. Elle a donc laissé sa voiture au garage. Histoire de tester.

Caroline Babilotte fait partie des quarante participants du défi « un mois sans ma voiture », organisé dans la Métropole européenne de Lille, du 14 octobre au 12 novembre, par Ilévia, le réseau de transports en commun. Une opération déjà lancée à Bordeaux, Dijon et Aix-Marseille, visant à « impulser un changement progressif des comportements en matière de mobilité » et « réduire ainsi l'usage de la voiture individuelle ».

Alors que l'automobile occupe toujours une place centrale dans le quotidien des Français – 70 % l'utilisent pour aller travailler, selon l'Insee, quand seulement 16 % empruntent les transports collectifs, 7 % marchent et 4 % se déplacent en deux-roues –, ces participants partagent la certitude que le tout-voiture, du moins en ville, appartient à une époque révolue.

Trois quarts d'heure dans les bouchons le matin

Renoncer à sa voiture pour les déplacements du quotidien relève souvent, d'abord, d'un calcul : qu'ai-je à gagner ou à perdre en utilisant les différents moyens de transport à ma disposition ? D'un côté, les embouteillages, les ennuis de stationnement, le budget voiture – 223 euros par mois en moyenne, selon un sondage Ipsos paru en octobre ; de l'autre, les transports collectifs, souvent décrits comme sous-dimensionnés, avec leurs contraintes horaires et leur lot d'aléas (pannes, incidents, grèves, etc.). [...]

Pour cette chef de projet en formation, la motivation est aussi écologique, alors que Lille est régulièrement présentée comme l'une des villes les plus polluées de France, en raison de sa position de carrefour autoroutier européen. [...]

Passer aux véhicules électriques

Se défaire de la voiture fait partie d'un « cheminement, un changement de vie en douceur », confie, pour sa part, Hervé Bounoua, 48 ans, médecin à Lille [...] : « Cela va avec notre façon de consommer. En famille, on essaie de plus en plus de manger bio et local, de donner une deuxième vie aux objets, de voyager en train pendant les vacances. Aujourd'hui, on envisage de ne garder qu'une voiture, qui sera électrique. Demain, on arrivera peut-être à s'en passer complètement. »

Depuis le « mois sans ma voiture », Hervé Bounoua s'est converti au vélo électrique. Il évoque cette satisfaction nouvelle d'appartenir à une « communauté de cyclistes, soucieux de l'environnement et du bien-être ». [...]

Espace urbain et changement climatique

À Metz, Élisabeth Parizel, 60 ans, ne va pas jusqu'à faire sa lessive elle-même. Si elle s'est portée volontaire pour participer au « mois sans ma voiture » organisé par Metz métropole, du 13 septembre au 11 octobre, c'est surtout pour aller dans le sens de l'histoire. Habitant dans l'hypercentre, cette médecin hospitalière assiste depuis plusieurs années au boom des vélos et des stations de voitures en autopartage, à la transformation de l'espace urbain, autrefois pensé pour la voiture, faisant aujourd'hui la part belle aux piétons et aux deux-roues. [...]

Pendant un mois, il a fallu rompre avec des habitudes bien ancrées. « Le maître mot, c'est anticiper : où je vais, comment, combien de temps ça va me prendre ? », explique Élisabeth Parizel, qui travaille dans deux hôpitaux, à Metz et Thionville. « Quand il fait beau, c'est le vélo. Quand il pleut, c'est le tramway. Après des réunions tardives, il m'arrive d'utiliser des voitures en autopartage. Avec cette opération, j'ai pu expérimenter toutes les alternatives. » Bientôt, elle et son mari se sépareront d'une voiture, estimant « presque indécent » de posséder deux voitures dans leur situation : « On ne peut plus se comporter ainsi dans notre société ! »

Des disparités d'usage selon le territoire

Si ces citadins sont convaincus qu'on peut se passer de sa voiture personnelle au centre d'une agglomération, ils ont conscience que cette possibilité se réduit au fur et à mesure qu'on s'en éloigne. À Metz toujours, Karine Léveillé, conseillère mobilité pour l'association Wimoov, a testé le « mois sans ma voiture » alors qu'elle se déplace régulièrement aux quatre coins de la Moselle. Résultat : certains lieux, les plus ruraux, sont impossibles d'accès. « Si je ne trouvais pas de covoiturage pour m'y rendre, je me résolvais au télétravail et aux rendez-vous téléphoniques. »

Une expérience qui témoigne de cette « fracture territoriale marquée » qu'évoque le sociologue Hervé Marchal, spécialiste des mobilités urbaines : « D'un côté, la voiture est en recul dans le centre des métropoles. De l'autre, elle est le seul moyen de transport possible pour les habitants de la France périurbaine et rurale. » La proportion de personnes utilisant la voiture pour aller travailler passe ainsi de 10 % à Paris à 85 % dans les départements les plus reculés, selon l'Insee.

Même là où les alternatives existent, la voiture garde tout son attrait pour beaucoup. « Cocon », « sas de décompression », « temps à soi », « solution de facilité », « zone de confort »... les participants aux défis du « mois sans ma voiture » racontent aussi la difficulté à se déshabituer de ce moyen de déplacement pas comme les autres. « La voiture est une extension de son habitat, un endroit où on aime se retrouver, un temps tout à fait apprécié dès lors que les conditions sont favorables », observe Hervé Marchal. Elle est aussi le symbole par excellence de « l'indépendance et de la liberté », comme le souligne Karine Léveillé qui, à l'avenir, compte en limiter son usage. Finalement, les citadins prêts à s'en passer, bien qu'encore minoritaires, sont 32 % à vouloir franchir le pas, selon un sondage IFOP publié en avril.

Aurélie Collas, lemonde.fr, 26 novembre 2019.

DOCUMENT 2

Mobilités : la voiture s'accroche à sa place

Le Mondial de l'auto reste très attractif, même si la toute puissance de l'automobile a dû reculer dans les centres-villes. Il est vrai que le désir de mobilité individuelle résiste fortement.

Le Mondial de l'auto, qui ouvre ce jeudi ses portes au grand public à la porte de Versailles, à Paris, est une grande fête populaire et paradoxale : chassée des hypercentres saturés de trafic et d'échappements nocifs, la voiture reste reine des trajectoires en tout autre point du territoire. […]

Car sur ce sujet sensible, passionnel et finalement très personnel, chaque individu a un rapport intime à la mobilité. Selon la situation géographique, sociale ou culturelle dans laquelle il se trouve, l'approche de ce temps quotidien consacré au déplacement, de ces « voyages » choisis ou non, s'avère radicalement différente. Si le sujet est sensible, c'est qu'il touche notre sphère intime et l'une de nos libertés fondamentales, celle de circuler librement et individuellement. C'est en grande partie pour cette raison que les décisions politiques sur ces sujets s'avèrent toujours délicates. La privatisation des autoroutes en son temps, l'écotaxe poids lourds ou plus récemment la limitation de vitesse à 80 km/h ont fortement heurté la sensibilité des Français les plus concernés. Des Trente Glorieuses aux années 90, les politiques de transport que l'on ne nommait pas encore mobilité, se résumaient dans les faits à favoriser le « tout voiture ».

Apothéose

Cette politique était complétée par l'exploitation d'un solide réseau ferré hérité de la fin du XIXᵉ siècle. Celui-ci irriguait au sens propre du terme l'ensemble du territoire, le TGV représentant tout à la fois l'apothéose de cet ancien monde des transports et l'élément nouveau qui allait devenir l'un des premiers acteurs structurants des déplacements multimodaux. Ce relatif équilibre s'est vu déstabilisé par plusieurs facteurs : l'apparition d'une économie davantage mondialisée qui a eu pour effet d'accentuer l'attractivité, la part de l'activité économique ainsi que la croissance des grandes agglomérations françaises, une ouverture de l'aérien et du rail à la concurrence entraînant l'apparition des low-cost et, évidemment, l'arrivée des services liés au développement des applications et services numériques maintenant bien connus comme Vélib ou Blablacar. Il faut enfin prendre en compte un paramètre que l'on oublie trop souvent : entre 1987 et 2017, la population française a progressé de plus de 10 millions d'habitants, une croissance qui a surtout profité aux villes.

Faits têtus

Tous ces éléments ont largement contribué à la création d'une forme plus marquée de segmentation des différents espaces du territoire national. En devenant plus spécifiques, le cœur des grandes agglomérations, les espaces périurbains et les espaces ruraux se sont peu à peu différenciés pour ce qui est de la mobilité, rendant de moins en moins compatible le voyage classique « point à point » avec le seul mode de transport individuel qui le permettait jusque-là, l'automobile.

Cette disparité entre territoires pourrait rapidement devenir un nouveau facteur d'inégalité, ou du moins de différences marquées dans les pratiques de mobilité, que l'on soit citoyen des grands centres-villes, habitants des banlieues au sens large du terme ou d'un monde rural de plus en plus délaissé par le train et les transports publics en général. Malgré la forte pression des villes et de l'État qui vise à faire baisser l'utilisation globale des véhicules particuliers au profit de transports collectifs ou collaboratifs, les faits sont têtus. Si les types de mobilités se déclinent maintenant plus aisément en fonction de leur environnement, le désir d'autonomie reste entier. Pendant que les grandes agglomérations bannissent peu à peu l'automobile et peut-être bientôt les deux-roues à moteur, de nouvelles formes de déplacement apparaissent, transformant radicalement l'approche du trajet interurbain. L'apparition des moyens unipersonnels de mobilité ou micromobilités (trottinette électrique, vélo et autres monoroues) prouve que les besoins de transports ne peuvent être résolus exclusivement de manière collective.

En dehors de Paris, où ces problématiques ne sont pas non plus homogènes, l'étalement urbain, la multiplication des zones pavillonnaires et l'obligation d'aller chercher du travail parfois à plusieurs dizaines de kilomètres du domicile, obligent nombre de familles à posséder plusieurs automobiles. Si les discours convenus sur l'intermodalité sont séduisants, le souhait de chacun reste avant tout de maîtriser son temps de trajet et de pouvoir compter sur la disponibilité de son moyen de transport. En cela, dans une société où l'adaptation et le changement des lieux de travail ou d'habitation deviennent la règle, mieux accompagner le développement de nouvelles capacités de mobilités individuelles propres et rapides ne semblerait pas illogique.

Olivier Archambeau, liberation.fr, 3 octobre 2018.

Après le Ticket Restaurant,
le « ticket mobilité » est annoncé pour 2020

Les contours de ce dispositif destiné à inciter les salariés à utiliser des transports peu polluants pour se rendre au travail se précisent avec le vote de la loi d'orientation des mobilités.

Après l'examen du projet de loi d'orientation des mobilités (LOM) par le Sénat et des discussions intensives sur les bancs de l'Assemblée nationale, les députés ont finalement voté le texte, le 18 juin en première lecture. La mise en place d'un forfait mobilité, visant à encourager les salariés à utiliser des transports peu polluants pour leurs trajets domicile-travail, figure parmi les mesures les plus discutées.

Le défi est ardu : 7 salariés sur 10 utilisent la voiture pour se rendre au travail indique l'Insee. Une indemnisation kilométrique vélo (IKV) avait déjà été mise en place par le précédent gouvernement en 2016, mais sans trouver son public : seuls 144 employeurs sur un total de 146 000 entreprises (hors microentreprises) ont déclaré auprès de l'Observatoire de l'indemnité kilométrique vélo la verser à leurs salariés. La ministre des Transports, Élisabeth Borne, a promis que ce nouveau forfait mobilité serait plus simple à mettre en œuvre et plus étendu. Il sera mis en place dès le 1er janvier 2020.

L'employeur pourra prendre en charge tout ou partie des frais engagés par ses salariés se rendant au travail avec leur vélo ou en covoiturage, que ce soit en tant que conducteur ou passager. L'autopartage et la location de véhicules en libre-service seront ajoutés par décret, a promis la ministre des Transports. Reste à savoir si les trottinettes seront dans le lot.

lemonde.fr, 27 juin 2019.

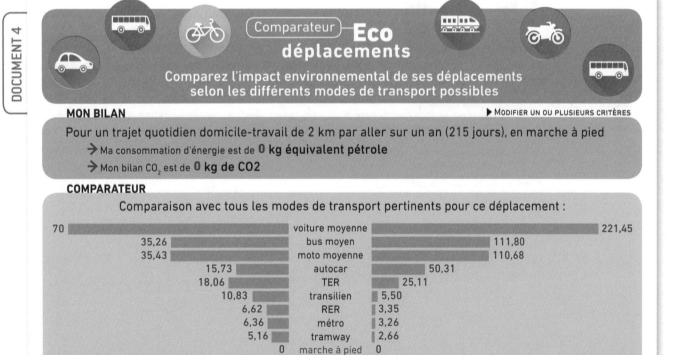

Comparateur — Eco déplacements

Comparez l'impact environnemental de ses déplacements selon les différents modes de transport possibles

MON BILAN ▶ MODIFIER UN OU PLUSIEURS CRITÈRES

Pour un trajet quotidien domicile-travail de 2 km par aller sur un an (215 jours), en marche à pied
→ Ma consommation d'énergie est de **0 kg équivalent pétrole**
→ Mon bilan CO_2 est de **0 kg de CO2**

COMPARATEUR

Comparaison avec tous les modes de transport pertinents pour ce déplacement :

Bilan Énergie	Mode	Bilan CO₂
70	voiture moyenne	221,45
35,26	bus moyen	111,80
35,43	moto moyenne	110,68
15,73	autocar	50,31
18,06	TER	25,11
10,83	transilien	5,50
6,62	RER	3,35
6,36	métro	3,26
5,16	tramway	2,66
0	marche à pied	0
0	vélo	0

Bilan Énergie — kep (kg équivalent pétrole)

Bilan CO₂ — kg de CO₂

DOCUMENT 5

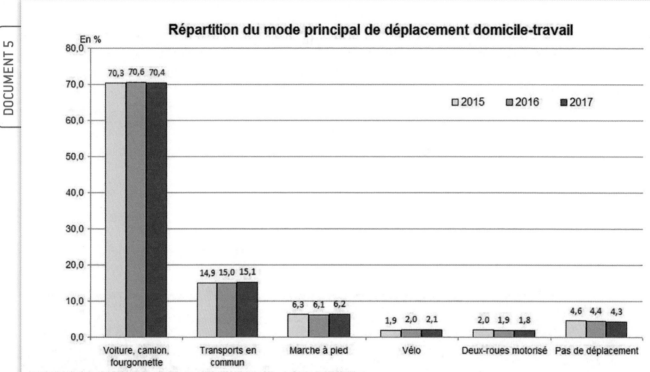

Répartition du mode principal de déplacement domicile-travail

En %

□ 2015   ▨ 2016   ■ 2017

	Voiture, camion, fourgonnette	Transports en commun	Marche à pied	Vélo	Deux-roues motorisé	Pas de déplacement
2015	70,3	14,9	6,3	1,9	2,0	4,6
2016	70,6	15,0	6,1	2,0	1,9	4,4
2017	70,4	15,1	6,2	2,1	1,8	4,3

Champ : France hors Mayotte. Actifs en emploi ou apprentis, âgés de 15 à 74 ans
Source : INSEE, enquêtes anuelles de recensement
Note : Cet indicateur vient en remplacement de l'indicateur "Nombre de vélos mis en libre-service" car ce dernier n'était plus mis à jour et s'avérait moins pertinent, que l'indicateur choisi en remplacement, pour évaluer l'utilisation du vélo dans les trajets domicile-travail.

SUJETS AU CHOIX

Traitez un seul des deux sujets.

SUJET 1

En tant que membre d'une association sur les transports et l'environnement, vous écrivez une contribution pour un journal local. Vous êtes convaincu de l'urgence d'apprendre à se déplacer autrement. Vous en expliquez les bénéfices pour la population et vous faites appel à la responsabilité individuelle de chacun. Néanmoins, vous admettez que ces changements de comportement doivent être accompagnés de mesures gouvernementales fortes.

À l'aide du dossier joint et d'apports personnels, vous rédigez un texte structuré dans lequel vous prenez clairement position sur la question et proposez des solutions concrètes. Vous adoptez un style approprié et convaincant.

700 mots minimum

SUJET 2

Vous êtes représentant du personnel dans une entreprise française, vous pensez que les mesures prises par les entreprises pour inciter les employés à se déplacer autrement ne sont pas suffisantes. Vous rédigez un article pour le journal des entreprises dans lequel vous défendez la mise en œuvre de solutions favorables au développement d'une mobilité durable pour les travailleurs. Vous insistez également sur la nécessité d'agir à l'échelle nationale pour obtenir des résultats probants.

À l'aide du dossier joint et d'apports personnels, vous rédigez un texte structuré dans lequel vous prenez clairement position sur la question et proposez des solutions concrètes. Vous adoptez un style approprié et convaincant.

700 mots minimum

L'usage de dictionnaires monolingues français / français est autorisé.

INDEX GRAMMATICAL

Les chiffres renvoient aux numéros de dossier.

INDEX THÉMATIQUE

Les chiffres renvoient aux numéros de dossier.
fam. : mot ou expression du registre familier

une canicule, une sécheresse
la fonte de la banquise
l'acidification des sols / des eaux

La lutte contre le réchauffement climatique 12
un scénario pessimiste
la coopération internationale
le développement durable
la neutralité carbone
la décarbonisation
compenser le carbone
un acte écoresponsable
diversifier les sources d'énergie
végétaliser les villes
un comportement écoresponsable
être impacté(e) / affecté(e) par
dévoiler un rapport
élaborer un modèle climatique
rehausser ses ambitions
conduire des recherches
des preuves convergentes
rechercher un consensus
scientifique

Le climatoscepticisme 12
un(e) climatosceptique
l'obscurantisme
recourir à une méthode
mettre en doute l'existence de
quelque chose
attaquer une personne / une
institution
contester des raisonnements /
données scientifiques
nier le changement climatique
un discours négationniste
une théorie réchauffiste
une méconnaissance du sujet
un choix de données orienté

L'écologie politique 12
une mesure coercitive
une mesure incitative
l'extension massive du domaine des
interdits
la décroissance
se reconvertir dans le vert

LES ÉMOTIONS ET LES SENTIMENTS
Le bonheur 7
ressentir de la joie de vivre
être épanoui(e)
éprouver du bien-être
être libéré(e) des pensées
négatives
Les humeurs noires 7
un vague à l'âme
une perte de repères
un désenchantement
une lassitude
la morosité
être à vif
être chamboulé(e)
être bouleversé(e)
avoir les nerfs à fleur de peau / en
pelote
faire une / être en dépression
avoir le cafard
être morose
L'empathie 7
la compassion

l'altruisme
la connivence
émouvoir quelqu'un
toucher une corde sensible
réconforter quelqu'un
remonter le moral
se livrer
faire une confidence à quelqu'un
réconforter quelqu'un
endiguer un mal / une maladie
remonter le moral

L'indifférence 7
le flegme
le détachement
prendre quelque chose à la légère

Le développement personnel 7
la psychologie positive
se libérer des pensées négatives
maximiser son potentiel
atteindre le bonheur
l'industrialisation du bonheur
la marchandisation des émotions

L'ENGAGEMENT
S'engager 5
un(e) militant(e)
un(e) activiste
un(e) rebelle
se rebeller
militer pour une cause
défendre une cause
s'engager
être engagé(e) dans la lutte contre
/ pour
manifester
se mobiliser
s'opposer
entraîner une prise de conscience
faire entendre sa voix
lutter contre des inégalités
dénoncer
revendiquer
transgresser
boycotter
faire pression sur
faire bouger les lignes
faire la grève de la faim
promouvoir l'égalité
diffuser un tract
protéger les droits humains
divulguer un scandale
occuper un lieu
signifier l'urgence de quelque chose
une pétition
une lettre de solidarité
une œuvre culturelle engagée
une confrontation médiatisée

Les inégalités 5
l'exclusion
la répression
l'oppression
la discrimination
la stigmatisation
une inégalité de traitement
le jeunisme
la xénophobie
l'inégalité homme-femme
le sexisme
la misogynie
le plafond de verre

le féminisme
l'équité
la parité
la discrimination positive

LES ENQUÊTES ET LES SONDAGES
Présenter une étude et ses résultats 2, 3
publier / réaliser une étude sur
analyser
mettre en lumière
mettre en évidence
souligner
ne pas manquer de préciser
dévoiler
révéler
se stabiliser
varier de… à…
augmenter
observer une hausse de… %
deux fois plus
être multiplié(e) par deux
diviser par deux
être en forte progression
diminuer
baisser
enregistrer une baisse de… %
être en chute libre
être influencé(e) par différents
facteurs
conduire / mener une enquête
scientifique
contribuer à la recherche médicale
un groupe de volontaires
les personnes interrogées
les sondés

Réagir à une étude et ses résultats 3
déclarer
citer
estimer
penser
conclure
accepter
adopter
refuser
se prononcer en faveur de quelque
chose
se montrer réticent
craindre
se méfier

LES GÉNÉRATIONS
Les âges de la vie 5
un(e) trentenaire
un(e) quadra(génaire)
un(e) quinqua(génaire)
un(e) sexagénaire
une personne âgée
un(e) senior
un(e) baby-boomer (euse)
la génération X / Y / Z
un(e) millénial(e)
la socio-démographie
le jeunisme
un conflit intergénérationnel
le management intergénérationnel
bien / mal vivre son âge
assumer son âge

L'HISTOIRE
La guerre 10
lancer les hostilités
un soldat
un bataillon
un(e) combattant(e)
une victime
un(e) blessé(e)
lancer une offensive
une guerre de tranchée
un obus
une bombe
combattre
aller au front
un cessez-le-feu
un armistice

La mémoire et la transmission de l'histoire 10
le patriotisme
le nationalisme
une commémoration
commémorer
se souvenir d'un événement
se rappeler / se remémorer un
événement
la réconciliation
une vengeance
une revanche
une persécution raciale
la pensée historienne
la collecte de données
se prononcer sur
la formulation d'une hypothèse
formuler / émettre une hypothèse
une source d'information
confronter différentes
interprétations de l'histoire
déconstruire des connaissances
antérieures
une cause sociale / politique /
économique
adhérer à un récit
avoir un biais envers
développer son sens critique
éveiller l'esprit critique
avoir du recul par rapport au récit
d'un événement

L'HUMOUR
L'humour et la liberté d'expression 11
une comédie populaire / de
boulevard
un film comique
un humour fédérateur / potache
le burlesque
le quiproquo
le vaudeville
le comique hexagonal
mettre quelqu'un en joie
avoir le sens de la répartie
faire de la provocation
la jovialité
la vulgarité
le mauvais goût
le rire sacrilège
désacraliser
fustiger
la subversion
la diffamation
hurler au scandale

un robot chirurgien
une impression 3D
un organe artificiel
les données numériques de santé
la médecine naturelle ≠
conventionnelle
les médecines alternatives
l'homéopathie
l'ostéopathie
l'acupuncture
la naturopathie
le magnétisme
l'hypnothérapie
la méditation
une *fake* médecine

La recherche médicale 3
tester
un résultat
une découverte
une avancée
un(e) chercheur (euse)
un effet secondaire
un laboratoire
une expérience

LE TRANSHUMANISME 9
l'intelligence artificielle
l'immortalité
le rajeunissement
l'accroissement de l'intelligence
la modification de l'état
psychologique
l'abolition de la souffrance
s'affranchir des limites biologiques
naturelles
la finitude humaine
le téléchargement de l'esprit
un lien neuronal
un neurone numérique
une puce
un implant, implanter

LE TRAVAIL
L'entreprise 6
une multinationale
une PME (petite ou moyenne
entreprise)
une start-up
une microentreprise
une usine

L'organisation du travail 6
gérer, diriger une entreprise
élaborer
veiller à
avoir la charge de
assurer
œuvrer à
mener un projet
chapeauter
être responsable de
diriger
établir les stratégies
démarcher un client
occuper un poste / une fonction
travailler à la chaîne
la hiérarchie verticale / horizontale
le management collaboratif /
participatif
managérial
un modèle de gestion
le télétravail
le présentéisme

la réunionite
faire une heure supplémentaire
Le droit du travail 6
un acquis social
poser une journée de RTT (réduction
du temps de travail)
la retraite
un congé payé
un syndicat
un repos
l'assurance chômage

Les postes de travail 6
un(e) PDG
un(e) président(e) directeur (trice)
général(e)
un(e) patron(ne)
un(e) chef(fe) d'entreprise
un(e) directeur(trice)
un(e) entrepreneur(euse)
un(e) cadre supérieur(e)
un(e) manager
une DRH
un(e) directeur(trice) des
ressources humaines
un(e) stratège des médias sociaux
un(e) chef(fe) de produit
un(e) graphiste
un(e) responsable informatique
un(e) responsable des relations
publiques
un(e) chef(fe) de projet
la hiérarchie
subalterne
un(e) employé(e)
un(e) salarié(e)
un(e) technicien(ne)
la main-d'œuvre
un(e) ouvrier (ère) qualifié(e)
un(e) délégué(e) syndical(e)
un(e) représentant(e) du
personnel

La recherche d'emploi 6
un(e) candidat(e)
un(e) recruteur (euse)
un poste à pourvoir
une candidature
candidater
une lettre de motivation
un entretien d'embauche
une expérience professionnelle
une affinité managériale
une période d'essai
postuler à un emploi
envoyer une candidature
spontanée
embaucher
débaucher
recruter
le plein-emploi

Les problèmes sociaux 6
la fermeture d'une usine
la délocalisation
la grève
le mouvement social
la crise de l'emploi
le chômage
faire bloc face à
se rassembler
endiguer un mouvement
s'affronter
entamer des négociations

L'UNION ÉCONOMIQUE ET POLITIQUE
L'union de plusieurs pays 10
la construction européenne
le panafricanisme
l'Unité africaine
les pères fondateurs
un pays membre
un rapprochement
une unification
un élargissement
le confédéralisme
le fédéralisme
le fonctionnalisme
la coopération
l'intégration politique
un marché commun
la libre circulation
supranational(e)
intergouvernemental(e)
le séparatisme
l'euroscepticisme
la politique de la chaise vide
une zone de libre-échange
réduire les droits de douane
une entrave administrative
des taxes douanières
être en proie à (un problème)
être en butte à (une difficulté)
ratifier un accord

LA VILLE
La ville et ses habitants 1
une cité
une commune
une agglomération
métropolitain(e)
une métropole
une mégalopole
une ville tentaculaire
cosmopolite
un arrondissement
une ville verticale
une ville souterraine
citadin(e)
rural(e)
un(e) citadin(e)
un(e) banlieusard(e)
un quartier périphérique
un immeuble
un bâtiment
une tour
un gratte-ciel
une infrastructure
un stade
une médiathèque
une mixité sociale
une gentrification
un quartier populaire, dense, peuplé
une densité
une concentration
un engorgement
un embouteillage
une expansion
s'étendre
le gigantisme
s'agglutiner
s'entasser
un(e) urbaniste
l'urbanisation
urbain(e)

le civisme
la police
L'écologie urbaine 1
un espace vert
un toit / une terrasse végétalisé(e)
un espace cultivable
un immeuble autosuffisant en
énergie
la récupération des eaux de pluie
un matériau durable

Le logement 1
un(e) propriétaire
un(e) copropriétaire
un(e) locataire
un(e) occupant(e)
un(e) résident(e)
emménager
aménager
un bidonville
un taudis
un bâtiment désaffecté
un quartier sale, insalubre
une villa
un habitat citoyen, autogéré,
participatif
une coopérative d'habitation
une collectivité d'habitants
un logement évolutif
un espace partagé
mutualiser les espaces
un loyer abordable, modéré,
exorbitant

Les transports 1
la mobilité
la multimodalité
un mode de déplacement
un réseau de transports en
commun
un tramway
un métro
un VTC, une voiture avec chauffeur
une voiture personnelle / en libre-
service
un véhicule particulier
une voiture hybride
une trottinette
l'autopartage
le covoiturage
un usager
un(e) abonné(e)
desservi(e)
se déplacer
un déplacement
zigzaguer
stationner
le stationnement

Achevé d'imprimer en janvier 2023 sur les presses de Macrolibros - Espagne
Dépôt légal : juillet 2020 - Édition nº 03
27/6979/9